DOG LOVER
WORDSEARCHES
OVER 140 PUZZLES

By
FRAN VARON

BOW WOW PUBLICATIONS

DOG LOVER WORDSEARCHES
Copyright Requested 2002
ISBN: 0-9724221-0-2
Publisher: Bow Wow Publications
Email: bowwowpublications@hotmail.com
Printed and Bound by: Phoenix Color Press
Cover Designed by: Rhonda Reynolds

Mail order forms for this book can be found on the last two pages.

Acknowledgment

The saying, "man's best friend" has forever been etched in my heart since April 2001. I had a back procedure that was in deed hard to withstand not to mention difficult to foresee any future endeavors. Without my Tibetan Terrier, Sadie, I would have had many lonely, sad days to endure. I thank her along with other companion pets that give their families unconditional devotion, entertainment and love. Sadie also has a new sister named, Sophie, that just loves and pulls on her!

Lastly, I want to thank Apple Kridakorn, Steve Cook, Michael Davis, Barbara Head, Steve McGraw, Phoenix Press Corporation, my sisters, Liz Davis and Susie Crownover and my brothers, Ed and Sol Varon and my mom, Esther Varon for their continual love and support in my life.

Puzzles

(Directions: Find the words in each grid. Words can go horizontally, vertically and diagonally in all eight directions)

The
Herding
Group

AUSTRALIAN CATTLE DOG

```
R K Y P Z N E E D E X E R C I S E R V K X Q N R
R V R T D N K N Y Y M O D E R A T E B U I L D Z
P W H T T H H E A T T O L E R A N T Y M L G T F
S C I T S I R E T C A R A H C O G N I D N N O C
R R E L E E H D N A L S N E E U Q L K R Q B I G
H Z K B Q N L Z T K C D K M N V D R O V E T O T
M E T P N R A P L T N F M H T G M B D D E D L P
L K R R H P C K R J C E K O L B T I G E N R R
T T L D L H H P I R E R K D T U Y E R L W O G E
D C F G I X K U C O D L S T T M N E T L T G W L
U A N K D N Z O X I U Y E S Y T N T J E Y A A E
N P Q Z R B G R N B E S N E D E A L C Y L U T E
T M W N R W J G M L X Z K O H C B T L P X S C H
I O T X W R T G T D L N G R N E I T M H Y T H S
R C Q N R R Y N C D R B P A T V U K F T R R D L
I T J L I N E I V P W T I Q E R F L V Z V A O L
N B R A F B V D V Y Y L R R R T C M B X T L G A
G C L A H N F R Z K A W B A Y B B G T T C I K H
H S N Y I Y B E V R Y M T Y M M K G G X G A V V
C Y L B D N T H T J D L I V E S T O C K Z L N T
Z D Y C K R A S J K R S U O R U T N E V D A T Y
N R M Z L W U B T N A T S I S E R R E H T A E W
Q R T Z Y A H T L L H T N A R E L O T D L O C F
C H P F Q Q Q T S E M D L I N D E P E N D E N T
```

ADVENTUROUS	HARDY	PROTECTIVE
AUSTRALIA	HEAT TOLERANT	QUEENSLAND HEELER
AUSTRALIAN CATTLE DOG	HERDING	SMART
BENTLEYS DOG	HERDING GROUP	STUBBORN
BLUE HEELER	HERDING TRIALS	STURDY
COLD TOLERANT	INDEPENDENT	TENACIOUS
COMPACT	LIVESTOCK	TRAINABLE
DINGO CHARACTERISTICS	MODERATE BUILD	UNTIRING
ENERGETIC	NEED EXERCISE	WATCH DOG
HALLS HEELER	OBEDIENT DOG	WEATHER RESISTANT

AUSTRALIAN SHEPHERD

```
V D K P X G O D E U Q S A B R T B L Q B X F B
K B O J R T K V W N C O N F I D E N T Z C K M
P T B D V O L P L L A Y O L I V E S T O C K K
U K E T N V T N C K Y L P R J V J R Y K T K T
N J D J P X T E Z O J N E D F B E C V C L M C
I X I P U R T F C M N L L R H L D D J N U Y G
T Z E K O S M C K T S F I R A R R H Q Q F K R
E W N H R M N X A I I E O L E E M P R M Y K O
D K T P G A M I S G N V K R H S D K L N A N O
S G V X G R K Y N D O R E P M J P T R D L D M
T N Z W N T A J L D W D E G S A E O E G P L I
A S Z K I J G Y Z L E H K H C S T V N J Z O N
T O P Y D H L P C J S P E C I I O I M S L B G
E E B W R W E W G N X E E C I T T H O G I Z Z
S D T M E L A R A N P L R N E R F E N N Y V N
M O T N H G X I D H I E X D D V T V G R T N E
W R D D I F L J E I X V K M G E F T K R K K K
L T D L R A T R C E N Q O K D M N K H N E C W
P N I B R J D G S G L G P L N H C T H T N N X
Z T X T F I T D V E R S A T I L E L H R K V E
Y N S W N H E K G S L A I R T G N I D R E H J
L U G G R E R K M K N W A T C H D O G M H T M
A P C D N P Z P E E H S D N A E L T T A C G W
```

AGILITY	GROOMING	PLAYFUL
ALERT	HERDING	PROTECTIVE
AUSTRALIAN SHEPHERD	HERDING GROUP	RESPONSIVE
BASQUE DOG	HERDING TRIALS	RODEOS
BOLD	INDEPENDENT	SHEEP HERDING
CATTLE AND SHEEP	JAY SISLER	SMART
CONFIDENT	LIVESTOCK	TRICK DOG ACT
CONFORMATION	LOVING	UNITED STATES
DEVOTED	LOYAL	VERSATILE
ENERGETIC	NEEDS EXERCISE	WATCH DOG
FRIENDLY	OBEDIENT	

BEARDED COLLIE

```
H Q B K M B P B R O A D F L A T S K U L L G W W L L
H W V R H P U Y V D T P X D H Z L C R Z W C N M F X
E N L T L K O P Z D L L M H U H E R D I N G T M T T
R N C P L V R R H M G A K F M B L P T Y V D K P J F
D N I L N J G R H N R Y D M O H M K W Q X C Z F L B
I E T I C N G B W M X F L G R B X F N L O G N C Y Q
N R S A R H N R M Y B U Z T Y P C T L T K N R M C E
G D A T X M I K B S V L B K Q L R T S P S I B B I Y
T L I T R L D Y M T C O C X F A E E V O Z M R L R F
R I S E Z N R H Q T R O A G M H V V C T N O L Z R J
I H U S W C E K W D T F T S O I T I I O C O D R K S
A C H W T H H E E F F T R L L D A G I L C R H R K W
L S T O W C P R D E P W G N A L H S N D R G L N V O
S E N L Z N S Q C E V K Y I D N S C E E D L J Y R R
N V E D N T C T Y N X M J O N E D D T R R K T P M B
P O J Q R V I M Y V H E G V R D R T A A Q T Q R W E
N L F A L O W M P N R P R P X A E E F K W T S M K Y
G P I G N K K P L F B T X C E T B P P H L F P G N E
M N W A W H R Z L H P E F B I M E N E R G E T I C G
X V T O B E D I E N T M D K C S P W W N L P H M G N
P E M J T P Y Y K F R T Y L D N E I R F D V R C Y O
K X Z X Y M P V O T B E N I L P O T L E V E L P X L
R B D K W B Q S N I A R T S D N A L H G I H N Y Q G
T D T I A G L U F R E W O P Z C P X J Z L R Q T C L
R H W P T K B G R G N I R I U Q N I M L G T J T H K
K T A O C E L B U O D C X L Z D V R W N K J L C L L
```

AFFECTIONATE	HERDING GROUP	LOW SET TAIL
BEARD	HERDING TRIALS	NEED EXERCISE
BEARDED COLLIE	HIGHLAND STRAIN	OBEDIENT
BORDER STRAIN	HUMOR	PLAYFUL
BROAD FLAT SKULL	INDEPENDENT	POWERFUL GAIT
DOUBLE COAT	INQUIRING	SCOTLAND
ENERGETIC	LEVEL TOPLINE	SMART
ENTHUSIASTIC	LIVELY	SOCIAL DOG
FRIENDLY	LIVESTOCK	SOFT EXPRESSION
GROOMING	LONG EYEBROWS	STRENGTH
HERDING	LOVES CHILDREN	WATCH DOG

BELGIAN MALINOIS

```
F W K O D E N O I T R O P O R P E R A U O S T R A M S W
T H N L L O Z N Z G O L J C H Y B F R I E N D L Y P T Y
T H C H I E N D E B E R G E R B E L G E G S T Z W M H N
N G E N I L P O T L E V E L L M X L M N I L O L T J T J
L O X Y N M R H L L B Z O O P X U Z L O N R W R L N A V
M D T R C M T M B N J V N W Z F C M N C K T T K R S O Y
X H T O L V K K M T C T P T Y R O I S L A J K D T A C Y
N C L I V E S T O C K G K A P X L T F O K R P I N L T T
O T W C T C Z C Z P K N L M T A O L C H C R F R S M H D
I A T O F O M T K H V P G I M C D R H W F F V I O O G S
S W Z N F J K N X K O U A N K N E E T E E Z O C L N I L
S M H T H Q K Q L C A G A H V D F C T A R N D C M D A A
E R G R B L R Y Y R H I E P N T T L R O I D J N T S R I
R T M A O N X T D T G R C U V K L S A L O X I L K H T R
P L Y B F L T D O L D J E O R Z K G A T Z F Q N H A S T
X J Y A J L O O E I Z S S R H D S M M F S R T T G P T G
E Y C N Z G M B N L N N I G R C F H S N B K K A R E R N
G N M D S S Q G L E N Q C G Z G I N U U Z K U H C D O I
N G R D M C X G D N T T R N N P R T Y T O K L L B E H D
I R Z E I A L V X V A K E I R C O W E L Z I K J L Y S R
N N Q T N V L K L L B N X D K B M W D G E H R L T E D E
O O V E T K M I E N L K E R X E Z B P O R C U E L S R H
I T K C E O R R N T X H D E D L K G F R G E I N S J M N
T D F T N X T R L E M Z E H K G R M J G W D N L D R N F
S L X I S B R K B F S W E B N I T D T K D N R E O L J X
E B B O E G T H Z O X L N N Y U E V I T C E T O R P O R
U L H N W I D E C I R C L E S M R K C W K Z T J F D M K
Q M K W T P T Y T I R U C E S G J K D B J T T Z L Z J L
```

ALERT	HERDING	QUESTIONING EXPRESSION
ALMOND SHAPED EYES	HERDING GROUP	SECURITY
BELGIAN MALINOIS	HERDING TRIALS	SERIOUS
BELGIUM	INTENSE	SHORT STRAIGHT COAT
CAT FOOTED	LEVEL TOPLINE	SHUTZHUND
CHIEN DE BERGER BELGE	LIVESTOCK	SMART
CONTRABAND DETECTION	MALINES	SMOOTH GAIT
DENSE UNDERCOAT	MALINOIS	SQUARE PROPORTIONED
ENERGETIC	NEED EXERCISE	STIFF EARS
FLAT SKULL	PLAYFUL	STOCK HERDING
FRIENDLY	POLICE	WATCH DOG
GUARD DOGS	PROTECTIVE	WIDE CIRCLES

BELGIAN SHEEPDOG

```
K Y K T X X T N T R A L M O N D S H A P E D E Y E S M K
M T R N C N T V X N Y Z C X M N G X J K M H R T R W L C
M M M E D C M T L D E N O I T R O P O R P E R A U O S T
N R D D O I N T E L L I G E N T D F X E R O Y N W M Y W
P N E N I L P O T L E V E L G V P B S N W W V L F R P L
R N E E D S E X E R C I S E M W E N F R M M W T F P X G
O P Y P K K L D B L U F Y A L P E D N U H Z T U H C S Z
T F B E M T N E T B K H T Y K T H P M Z W N L M T M K H
E L R D E H N W A V I R B P N J S N F T L T T B O Y E J
C R E N G J E X C D L D H I V G N L C M Y N O O M R N W
T N L I L P T R Z L N R D Z R B A K W L A L T L D T K K
I F B S E F O Y D H M E M A J R I C L G L H D I L T Z C
V V A R B A G L L I V V N O B G G P E C G U N N M K I P
E M N A R M G R I E N Y P E W L L L L A P G K E E T P Q
L Z I E E I F I O C V G M T O J E R I U T R S S E I K V
P M A T G L K L L O E I N N P R B T O R L S R G T X R M
R S R C R Y K N D E M D L J G K G R I F E G R W Z A W F
O T T E E O K P R Y R I O Y X Z G A R N V E W L G A L K
U O Y R B R C R A L K N N G W G L P G M N Y P H T R G F
D C L E E I T L F J V C D G N S F E X E L Q L C K O E K
D K I F D E Z R T V M P J I L D R Y N B X V H C D N N N
O H S F N N K R D L Z K D N P S K P Y T K D O M D X L K
V E A I E T S G O D Y R T N E S R V T N O H R U K H X T
Y R E T I E R D G T E B B C B B P K K G V A R W M N R M
L D C S H D F X S H C G H G N V N Z B C F A J R K N R V
F I M L C K F V X L V D E T O O F T A C N G L X W K K R
T N G T B L I V E S T O C K K L C L Z C V W M R M J T Z
L G K J N G J N J K H C H F M H B T E B L A C K C O A T
```

AGILE	FLAT SKULL	NEEDS EXERCISE
ALMOND SHAPED EYES	FRIENDLY	PLAYFUL
BELGIAN SHEEPDOG	GROENENDAEL	POLICE DOG
BIDDABLE	GROOMING	PROTECTIVE
BLACK COAT	HERDING	PROUD
CAT FOOTED	HERDING GROUP	SCHUTZHUND
CHIEN DE BERGER BELGE	HERDING TRIALS	SENTRY DOGS
DRAFT DOGS	INDEPENDENT	SMOOTH GAIT
EASILY TRAINABLE	INTELLIGENT	SQUARE PROPORTIONED
ELEGANT	INTENSE	STIFF ERECT EARS
ENDURANCE	LEVEL TOPLINE	STOCK HERDING
ENERGETIC	LIVELY	WATCH DOG
FAMILY ORIENTED	LIVESTOCK	
FARM DOG	MESSENGERS	

BELGIAN TERVUREN

```
K T S E Y E D E P A H S D N O M L A V C L J R M Z R
X V V P H E A T T O L E R A N T M Z M R N W Y V L X
Y E N H K R N O I N A P M O C K M G R G E L T E T Z
F G N E Y T L V X W Y L L M X P V M P N F T V F H T
P L E N R H H G M L I N D E P E N D E N T E G K N W
S E R N N U W D N U H Z T U H C S P N T L U M A H E
R B U J T M V V K T F S T X M N P K R T A N R E F E
A R V G T R W R G P T T P T Y K W E O R M E R F S D
E E R T R T A N E M L O T V T C L P D G L D O I P M
R G E N C O E M P T D C N X Y A L D Z O I R C U K A
A R T N H R O T S H M K E B H I O C T N T R O C T L
L E N Y T Y J M W T R H I Z N G W D G L E R J A Y I
U B A S W L N X I V C E D E D T L T E X G R C T T N
G E I D M P J P K N K R E P Z O R S E G F Q K F E O
N D G N O T R K G W G D B Q C I S D N Y R T X O L I
A N L L D U D O K B E I O N A G E I N E I L Y O I S
I E E Y L H B K T P H N P L A E D C M N E R Z T T P
R I B M M U G L E E M G S I N R T N G E N X T E A A
T H Y T Y H K N E B C K T W E V Z C L R D J M D S R
T C P C C L D S R C E T W H B Q Z D T G L C L C R E
C J T L N A P X T J O L I T Q J N B M E Y M R L E N
E M K N B J C K B A F A G V T W Z B P T P J V C V T
R L P L N F L Y R L L N T I E B M N K I G B F Y Q S
E R E P H E R D I N G F T B U Q B T R C L Y X X C Q
L H C G Y C D L V K L Y L W P M P C W A T C H D O G
T T N E R U V R E T F O E G A L L I V R F X Y R Z G
```

ALERT	ERECT TRIANGULAR EARS	NEED EXERCISE
ALMOND SHAPED EYES	FLAT SKULL	OBEDIENT
BELGIAN TERVUREN	FRIENDLY	PROTECTIVE
BELGIUM	GROOMING	SCHUTZHUND
CAT FOOTED	GUARD DOG	SMART
CHIEN DE BERGER BELGE	HEAT TOLERANT	STOCK HERDING
COLD TOLERANT	HERDING	STRENGTH
COMPANION	HERDING GROUP	TERV
DEPENDABLE	HERDING TRIALS	TERVUREN
DOUBLE COAT	INDEPENDENT	VERSATILE
EFFORTLESS GAIT	LEVEL TOPLINE	VILLAGE OF TERVUREN
ENERGETIC	MALINOIS PARENTS	WATCH DOG

BORDER COLLIE

```
H K C O T S E V I L T J J C E J R Z O P Z D Z H H E T P N
G E N E B X T M J J N B R G D L D P H T E O Z G V G G C V
E V A N N K O B H O K C R F R O B F G V K W M I R X I R K
I Z P T V O G V C N X W C G F N L A O C F J T E M J V Y F
L N H R T O B K A Y L D N E I R F T N P G C A C X X I K M
L D P M B O X G O L Z G H L K L E L U I E T T J V L N N G
O P L M R L L S N J F K D L H D J O X T A M G T D Y G P R
C N A P J H P E R O X E N K C N R S O G N R M T G W E B E
R W Y D H N C Y R G R C E C K G H R I M M T T X R T Y R A
E S F Y C K M E Z A R T L T G E P L T Z K Z X Y N E E N T
D M U K C R N E R N N L S N E R I L Y D A K D H L W L M T
R O L K O E Y U M H W T I P N T Z K D F T S E M E I B A E
O O P L L D O L D N P D D D Y E K F F H L K T E L M S K M
B T L R D R M B L K R O H H M D E E W A L M N H A W P A P
B H L G T E N N G E G M R W L Z C D I N X G E L T G K M E
N T F Z O H O O H S V B M W A T G R S T R T I H N F E L R
L R X N L P P T L F N P C N I O T R K E T F R L C R X R A
N O T O E E L B L N Y F I O D G Z V A Y X D O O G L H T M
T T M L R E V G O Z W M N L N B K T B T Z E K L N C K R E
R W F F A H L O T L A A A I Z K B Y B Y K N R D Y F M P N
V T J O N S O D K T T I D Z F R L M T K N N O C M W M M T
G L Y L T N T H S E C R W D I J R K G J O L W V I M L F N
S N H L P F M C M O E X Y T F B C M L V P H K C X S X X Y
Y E I R Z H G T S H Z G A B K O E N I L P O T L E V E L B
T M R D M R R A P G D I M E N E R G E T I C M L B K F D T
T R P A R F M W N M N S M O O T H R O U G H C O A T L W R
N X K T T E T N E G I L L E T N I O B E D I E N T B P F Y
J W Y K C S H K R F F V H W M E D I U M S I Z E D D O G X
S U O R U T N E V D A T X H Q B G R O O M I N G H V P Z F
```

ADVENTUROUS	GREAT TEMPERAMENT	PLAYFUL
AFFECTIONATE	GROOMING	PROTECTIVE
ALERT	HEAT TOLERANT	SHEEPDOGS
BLUE EYES	HEMP	SHEEP HERDER
BORDER COLLIE	HERDING	SMOOTH ROUGH COAT
COLD TOLERANT	HERDING GROUP	SMOOTH TROT
DEVOTED	HERDING TRIALS	SOCIAL DOG
EAGER	INTELLIGENT	STAMINA
EASILY TRAINABLE	LEVEL TOPLINE	STARES
ENERGETIC	LIVESTOCK	STRONG BONE
FRIENDLY	MEDIUM SIZED DOG	WATCH DOG
GIVING EYE	NEEDS EXERCISE	WORK ORIENTED
GREAT AGILITY	OBEDIENT	
GREAT BRITAIN	OVAL FEET	

BOUVIER DES FLANDRES

```
X L G T B N E E D S E X E R C I S E L V R M Y N P J K R
C R N L P E T T G K R J S D G E L I V E S T O C K H R M
O N L L G S C Z O H J R K L I P L Y E V I T C E T O R P
W K C R Z A V M D V R T L K A R M B M J L M R R K F U W
D C O W H E R D E T F I B P M I T K A N P X N Y T O T W
O V K J C L R R L N R N N W J P R Y D D Z T R R R F C R
G X N B L P G H T A I D N S G V W T B L D L M G K O X M
C L K L M O V K T R E E M E P H M C G E G I G P N D R O
L C W M D T K Z A E N P F R V C K X T N A N B F K J X U
Y L F T L G V B C L D E G D N F R D C X I R I O Y M H S
K Q R H X N H K N O L N L N P Q K M M D L D D H H D Y T
M Y C M F I F O A T Y D L A T M O O R H E X R C O S T A
N E V Y Y L K G I D R E H L J V M E N N F H I E R D V C
E D G K Z L M C G L N N D F L J H N T Z T T C E H G T H
R Z A E H I T K L O O T H S R B L V D K E N M N K M C E
D T Z F T W R B E C I J J E W X K R N G K R X W L A F C
L V Z G F T T T B M N K R D J V A M R G A Y A P T Z A V
I F F D H E O H C R A Z H R M E W E B F N T J T B T N N
H L E B L Z C S H Z P G G E B Q N H M K C I L H T W N F
C T M A T P L T E G M W L I R E V M W H O E M L V W Z Y
S M J B R R J M I D O M B V C D B T D P H H E O K R L L
E T N X G L K P M O C K M U G P I O M E T D B M O W Z P
V W B V J K E R J O N I M O C Z G N R K R N E N R R V N
O R N L M R Y S G X O A N B O V N D G O V K L V D N G L
L K T G N B G F S T K D T H T G I H V N L G G M M G A N
Y T I R U C E S W Y R L M E C N H E N L K B I R L Y N N
T S G O D E C N A L U B M A G X R M N N T N U G O K X N
D E V O T E D G S G O D R E G N E S S E M P M L Y M T W
```

AFFECTIONATE	CONFIDENT	HERDING TRIALS
AMBULANCE DOGS	COW DOG	INDEPENDENT
BEARD	COWHERD	LIVESTOCK
BELGIAN CATTLE DOG	DEVOTED	LOVES CHILDREN
BELGIUM	DIRTY BEARD	LOYAL
BIDDABLE	ENERGETIC	MESSENGER DOGS
BOUVIER DES FLANDRES	FARMERS	MOUSTACHE
CATTLE DROVER	FEARLESS	NEEDS EXERCISE
CATTLE HERDING	FRIENDLY	PROTECTIVE
CH NIC DE SOTTEGEM	GROOMING	SECURITY
COLD TOLERANT	HERDING	WATCH DOG
COMPANION	HERDING GROUP	WILLING TO PLEASE

BRIARD

```
R N D N M L N G M K Q L F T D T R T J L M N J L
K R M L C S A F R B G R P L E A S I N G L M N Q
X J S Q F W J F G O I D J F R J G L K R W O E L
E K G U P O M N A E O N T L N U Q X C N I I M J
V F O I T R K N N Y R M N Y A V G N J N R A L F
I D D C Q B N D R Q E W I R N W Y N A B R D N R
T R P K R E L G K F G T D N N R L P F X L V K Z
C A E S D Y F H O C D I T P G L M O X N V E V N
E E E I F E R T L D N E P E F O G V K Q K N Y Z
T B H L T G A W D G H U I A C O C L R M T T X B
O E S V Q N N Q S B O C I R D V H M L L D U Z L
R H H E F O C H Y R T T T P B T B E R G B R I E
P C C R Z L E W G B H V E A C E Y G R R J O R N
V A N H Z E J G H F L H H K W F D P N D B U F N
D T E P P Y N T U T S Q F Z D R N R L I I S R N
R S R N N I G L L I V E S T O C K T E D V N F L
A U F R D N M F L N K N D B D C H G K G M O G L
I M N R E N J F L M F Q N B Y Z K D Q J R L L Y
R F E R J L N T V F J M K T L N N E G F B E P T
B H T N E E D S E X E R C I S E M V T K B H B I
M S S L A I R T G N I D R E H C R O N P L W M L
J N E T A N O I T C E F F A N R F T V H R V N I
N O S R E F F E J S A M O H T Q X E T J N V G G
R X T T C T K C T P R R N P T G R D N Y F R J A
```

ADVENTUROUS	FRENCH SHEEPDOGS	LOVING
AFFECTIONATE	FRIENDLY	MUSTACHE BEARD
AGILITY	GROOMING	NEEDS EXERCISE
BERGER DE BRIE	GUARDING SHEEP	PLEASING
BRIARD	HERDING	PROTECTIVE
BRIE	HERDING GROUP	QUICKSILVER
COMPANION	HERDING TRIALS	SHEP DOG OF BRIE
DEVOTED	LAFAYETTE	STRENGTH
FAITHFUL	LIVESTOCK	THOMAS JEFFERSON
FRANCE	LONG EYEBROWS	WATCH DOG

CANAAN DOG

```
N W E T A N O I T C E F F A D G W V D C F L I B D M M
B L V T N T G R W N Q P Z Z K O G K Z M W N S R R J Q
V M K D O G O F C A N A A N M D P U F N W B R M N K K
W V C J X L D L F D J N R K L H R H I K F U A Q E N F
T K C L K X N N O I N A P M O C Z N B D D F E P G E C
H K L R T B A Y M Z N R G L Y T G N R O E V L E E E M
P H M R Y B A E P Y R T N E S A N L L Q P D L D V D Q
I L T N H M N L N C Y T Q L N W K P F U T B O T D S C
M N W N G L A J T E X L A Q B T H J O J A C H G E E Y
C G T P E Y C N J K R I F M W I G R K N I K V R S X C
V S H E F I L V K X R G Q N N R G Q I L T T K Z E E G
S W N U L J D M B T L T E A Z G N A E N D N R H R R F
T O L I K L M E G Y P R M T N V R A V N C J D L T C R
I P U G U F I N B X V E Z I I T N D A M M D L M L I E
N Y T T N O I G L O N L D M Y C L I V E S T O C K S D
A K G T H D D K E Z M R M L I P D T F J M H E M R E C
N Q R N R E L E E N E T I E N R J E M L Y P C C X Y R
A Q C E B T R L B H T S N R A Q V L W D H M N W C G O
K N H H G C X N X T A T N U T I L B L E R Y A Z N T S
V Y K B X N P H J E T Y G H T L W R X V P C T H G X S
E N L Q K L E W G I H L F C L P W D X O N K S L N R H
L N N D Q L G S M P A Z E G K B K L T T T C I K I T E
E R M L N T J E S R N T L T R Q W T P E R R S G K K L
K W W P K E S M U E O G N I S A E L P D M K S D R X P
K J H M B D I T G R M K A L E F K N A A N I A T A R E
X F R W J K A R P D E P E N D A B L E T V V T Q B K R
L R K V C N T P F D M B M I N E D E T E C T O R S M S
```

AFFECTIONATE	EASILY TRAINABLE	MINE DETECTORS
ANCIENT TIMES	ENERGETIC	NATURAL GUARDIAN
ASSISTANCE	FRIENDLY	NEEDS EXERCISE
BARKING	GUIDE DOGS	NEGEV DESERT
BEDOUINS	HERDING GROUP	OBEDIENT
CANAAN DOG	HERDING TRIALS	PLAYFUL
COMPANION	INTELLIGENT	PLEASING
DEPENDABLE	ISRAEL	PROTECTIVE
DEVOTED	KALEF KNAANI	RED CROSS HELPERS
DOCILE	KELEV KANANI	SENTRY
DOG OF CANAAN	LIVESTOCK	SOUTHERN
DR RUDOLPHINA MENZEL	MESSENGER	WATCH DOG

CARDIGAN WELSH CORGI

```
G D W C W N K W L G W Y T I A G S S E L T R O F F E
M V E E T A C T C L R J F G B Q J M R F Q V C O R G
N R R E L X T M N G D V C E K E Z C I R Y J C M T O
K D D T R L T C K M L X C L K A T N G R R M T T C D
L O C L W B M K H R H D P I K S B A R K I N G O L T
M G K A P L Y A R D H L N G N Y K N O H Y T L X T I
T S L N Q Z U D N N O T D A G G R K C G M D K R E P
M E L T H T K F R N N G Q N P O W W H B T N Z M T S
S F K A H I L M Y A E Y T T F I D D S O Z D C G A N
N K B D I J G T Y A H R T C M N H P L N P B T J N R
K L M M N R F H L G L G E M C G U E E V R T R F O U
D R G X Z K T J S P N P K D R O R M W I O A Z H I T
X R J P T M L G G P B N N L R A G D N J T O Y R T H
D L E W P W C Z N I I R P G N K E D A V E C P Q C S
T W R V N C T M K I E R G T V V L Y G F C E L M E I
F U N L O V I N G H D N I P O E H Y I L T L M F F L
N Y H P Y R W R T R I R B T H R L C D Q I B Z M F G
D D E P V F D A N D T S E E E D G P R C V U Y T A N
G O R T C X G E R J S D R H N D Y L A N E O C K X E
R B D K Y O T E L E H D F E Y L M F C R R D K N H Q
H T I B T W H H L T E B I L C M M N O I N A P M O C
Y E N C T K L E G R T R R S E M I T T N E I C N A T
N S G H H W R W N G F A L N N C D R A Y H S L E W R
Z W Z G V I D X Z B X X C T N A R E L O T T A E H T
W O T T T J Z P X E A S I L Y T R A I N A B L E T G
V L H H P E M B R O K E W E L S H C O R G I S T W G
```

AFFECTIONATE
AGILE
ANCIENT TIMES
BARKING
BRINDLE HERDER
CARDIGAN WELSH CORGI
CATTLE DROVER
COLD TOLERANT
COMPANION
COR
DEVOTED
DOG

DOUBLE COAT
EASILY TRAINABLE
EASY GOING
EFFORTLESS GAIT
ENGLISH TURN SPIT DOG
FRIENDLY
FUN LOVING
GI
HARDY BREED
HEAT TOLERANT
HERDING
HERDING GROUP

HERDING TRIALS
HIGH SPIRITED
LOW SET BODY
PEMBROKE WELSH CORGIS
PLAYFUL
PROTECTIVE
TIRELESS
TO GATHER
WALES
WATCH DOG
WELL MANNERED
WELSH YARD

COLLIE

```
T C P N C V G N S L A I R T G N I D R E H F M C
X G W R H I N T E L L I G E N T V D D B C L Q M
X W N H O V W L B N F P R R P R G P T M Y V W P
L R X I E T L I V E S T O C K H T N C J N K U P
B E L E K R E F F G Z Y O W W W V G J L J O W X
R K I I C R D C G X M M M J P G K Z V A R K O W
V P Q L G A A I T Z T J I M L W Z S F G C B R I
E B W L L R R B N I L R N M R E P F G E D K K L
R L H O R O S G K G V F G P S E E N N T E T I L
Y F B C K K C M T R R E K I E C I D H Y T I N I
J J K A H G O H R B C N C D T D E Q N N N A G N
L T J T N X T Y S X F R T I R L N L G F E G H G
D L V K X I L B M I E C O E L K D P R N I S E T
B Q M R Q J A D N X T N H I K M Y I V S R S R O
L T W S N N N R E A A T R N K X E H H C O E I P
U L C M E L D S T T C F O B G N R E K I Y L T L
F N Q N R N D X E Y W T Q C D M E B J T L T A E
Y H M M L E S M F B L K I L S P T C E E I R G A
A L L K E D R I V K F I Y V H D T L V G M O E S
L R M N D E V O T E D G S E E T T L R R A F D E
P J N L J C N K N I N K R A K N T G B E F F H X
P H T G N E R T S R V D C L E M W L Y N W E L B
W A T C H D O G T Z E E C G J R N T R E L T T R
J N R O B B U T S R H L M N O I N A P M O C K N
```

ACTIVE
AFFECTIONATE
BARKING
COLLIE
COMPANION
DEVOTED
EASILY TRAINABLE
EFFORTLESS GAIT
ENERGETIC
FAMILY ORIENTED
FRIENDLY

FRILLED NECK
GENTLE
GRACE
GROOMING
HERDING
HERDING GROUP
HERDING TRIALS
INTELLIGENT
LIVESTOCK
NEEDS EXERCISE
PLAYFUL

PROTECTIVE
SCOTLAND
SCOTTISH COLLIE
SENSITIVE
SHEEP HERDER
SPEED
STRENGTH
STUBBORN
WATCH DOG
WILLING TO PLEASE
WORKING HERITAGE

GERMAN SHEPHERD DOG

```
N D N A I D R A U G V R D J K F N M M T N J B D W K R P
L E D L D V C B W R B X R E B B P B N J T D W T C Y U Y
G V T P E K Q S T L I P Y Q T O N A G H Z Z M O K O Y M
L O G V U N M H N P L N H L L N R R D L M J T Y R N W L
G T R K T Q J E D R R D T I D E E G M J M S M G Y N X F
O E D F S L T E T L B O C I L N O I N X E D G X P M A P
D D N J C H L P R Z P E T O N D E A R V L N C M Q I C Y
F P U Y H X K H V M D L T E E T I I I O I F H D T N O L
L D H K E M G E J O L D Z D C T I L R D Y R W H P D N C
O E Z K R G N R G H L Y I T A T P N R F L L F F F M T K
W N T B S O I D L O K U N S Z B I E Z N T F I L R L R F
N E U D C D M E C V G T L R B Q H V W L U L Z M F C A H
A R H E H D O R K D L A B K N Z L G E L N H N R A G B G
I G C L A R O X L Z K X H E T A N O I T C E F F A F A H
T E S B F E R E T S F M G N I R E E N I M O D G T Z N T
A T J A E H G N U N L R N H N W A T C H D O G K M L D G
S I J N R P N I B C K A T P T R A E H G N O R T S H D O
L C B I H E Q G N L S D I G L B Y T Z E V Q D F R Z E D
A P L A U H M T R T G E R R N Z T H E X G F J L K L T E
T G W R N S H C Q L E Q R N T X T D E H B Y F M L C E C
H D N T D N R Y K V L L X H P G E G E R M A N Y T X C N
C Z T Y M A P P K M W P L H C X N X Y C D L Z W N X T A
C K P L B M X B V B F G N I E R Y I Z Q P I A P T Z I T
K L M I K R K T W R F K Z R G N A B D M Q R N R V L O S
D T K S Q E T P Q N C Q C F R E T E H R D G P G T B N I
K F K A K G P C G N M I K N M P N W S O E C K P H B Z S
W Y R E V Z G Q Q K S L T Y V R V T G L Y H C C B N M S
G E R M A N S H E E P D O G X H E A T T O L E R A N T A
```

AFFECTIONATE	FAMILY ORIENTED	INTELLIGENT
ALSATIAN	FRIENDLY	LIVESTOCK
ALSATIAN WOLFDOG	GERMAN SHEEPDOG	NEED EXERCISE
ASSISTANCE DOG	GERMAN SHEPHERD DOG	POLICE DOG
COLD TOLERANT	GERMANY	PROTECTIVE
CONTRABAND DETECTION	GROOMING	RIN TIN TIN
DEUTSCHER SCHAFERHUND	GUARDIAN	SCHUTZHUND
DEVOTED	GUIDE DOG	SEARCH RESCUE
DOMINEERING	HEAT TOLERANT	SHEEP HERDER
EASILY TRAINABLE	HERDING	STRONGHEART
ENERGETIC	HERDING GROUP	WAR DOG
FAITHFUL	HERDING TRIALS	WATCH DOG

OLD ENGLISH SHEEPDOG

```
K L L I V E S T O C K F B T I A G E K I L R A E B V K
N H B K L T D E T N E I R O Y L I M A F Y T B D G P K
M E S I C R E X E D E E N M Y T X R P H M N M R U L R
P Q A H M B L L B M C E Z F C P I J M L Y G R O M O D
L A F T J B T P B L G N L Z Z Y D L Y R P P R Y R V G
N K F F H K R R J M G G Y R K D T X I W R G T W Y E N
F R E L B Y R W P F K L X H V Z K B N G G D E N Q S O
X A C M M D R V P V L A C G E R N H L N A L H H J C R
B H T W T O N L Y R X N K L N R G L I P L C R G H H T
T C I A N B G H F L O D H T I T D D L M W M Y O D I S
Y T O T A T P Q M D D T D T J A R I A L N Z E D F L D
B W N C R C W P R M K N E M Z E T N N B G N X P B D A
T O A H E A R V M K N T E C H V N D P G E B D E K R E
X N T D L P H N X N M L S I T E J H E R K E R E B E H
E A E O O M M O C T U H T W R I C N G K V Q T H E N V
L I M G T O M Y M F E W P E O F V E K O C R R S A Q N
T S M V D C M Y Y E F K D R C R T E T N M O C H R B X
N S J M L B C A P Y B H W L O I K E Z W M L D S D K K
E U V R O T L H M D T O A V C F D I B M B G X I E Y P
G R D T C P E T T G R C D G Z X U Z N D K J T L D R Y
F M P H K R L L N J I L N Y N Y Z S R G N C N G C G C
F Y B T D B Q E R M M L M N M R L D E T D L W N O Z G
T L F I R J R G O K T R F Z H L G L G C F O M E L C G
D N N Y N T F C J C X Y T K L X R L O R O M G D L W X
H G P R S J N K C O M P A N I O N K L J P A P L I X L
M S L A I R T G N I D R E H B O B T A I L R T O E R G
D N L P N L B D K R G R O O M I N G P D Y L T P K Q F
```

AFFECTIONATE	ENGLAND	LOVES CHILDREN
AGILITY	FAMILY ORIENTED	NEED EXERCISE
BEARDED COLLIE	FRIENDLY	OLD ENGLISH SHEEPDOG
BEARLIKE GAIT	GENTLE	PLAYFUL
BOBTAIL	GROOMING	PROFUSE COAT
COLD TOLERANT	HEADSTRONG	PROTECTIVE
COMICAL	HERDING	RUSSIAN OWTCHARKA
COMPACT BODY	HERDING GROUP	SHEEP HERDING
COMPANION	HERDING TRIALS	STRENGTH
DEVOTED	HOMEBODY	WATCH DOG
DOCKED TAIL	JOLLY	WELL MANNERED
ENERGETIC	LIVESTOCK	WORKING DOG

PEMBROKE WELSH CORGI

```
M G W K V Y L Y B E L B A I M A P N P R K K L Z I H J R
K V Z G P D H T E B A Z I L E N E E U Q N C D K G N Z L
N R T N L G T N A C T I V E M I N D B O D Y Q W R E P I
L D N X E V Z B X X H T K J D T W W E M K R N K O R R V
L K E Q A N B C R N Y E G I N R T P T V H M Q L C D G E
B L M X S X G D N N X Z A N C E P N N L O V R K H L C S
N L E H I E K J J R L J N T I K E F N G N T F M S I R T
S L V R N V V M N M H Y X W T A I D Q J C R E H L H B O
L N O L G I V G L R R Y R P F O T N E N C J T D E C F C
A C M R H T T T K W G L U M R A L I G X Z J T X W S O K
I V H T P C N Y R L F O W L F E F E R H E Q L X P E X C
R T T T L E X M D M R W T F H U V M R B O R K L V V L T
T H O Y A T L H C G D O E V N R N O B A H O C M F O I T
G Z O T Y O B M G T L C J L L E D O R R N R V I Z L K V
N C M T F R X N R A T Y O R L H B N I D M T H E S K E W
I Y S L U P I G K I M V G B E P O B H N E T Z J S E E T
D D Q J L D R R O M I T A L R T X E T F A L C T M P X J
R M Y B R T A N V N D N I Y A N R M K Y X P T W N P P T
E M D E V B A N G E I G F I G D G Q R F R R M T T Z R Z
H N H N H T M D T A A Z L N I Y M O L T C T G O A D E M
Y V M Q E J W T R D H Z G N F A R M D O G V D T C C S Q
N K N K B M I T N C V G G V N N K C M H V N Q M N T S H
N B H G B W Y A Y L D N E I R F W K L W C M M G N L I K
L Q C T K L K H P Y E N E R G E T I C T W T R N T K O J
L M L C I C P D X B C O L D T O L E R A N T A Z G K N F
D C I S I C H V I N T E L L I G E N T H K D Z W W V Z R
L U A U W D Y W F N C X T N J M I V E G R O E G G N I K
Q E Q N W S E L A W N X B B X D V F J Z Z C R Y T N K C
```

ACTIVE MIND BODY	FOXLIKE EXPRESSION	NEED EXERCISE
AFFECTIONATE	FRIENDLY	NO TAIL
AMIABLE	FUN LOVING	PLAYFUL
BARK A LOT	HEAT TOLERANT	PLEASING
BRITAIN	HERDING	PROTECTIVE
CATTLE DROVER	HERDING GROUP	P WELSH CORGI
COLD TOLERANT	HERDING TRIALS	QUEEN ELIZABETH
COMPANION	INTELLIGENT	QUICK AND AGILE
DEVOTED	KICKING HOOVES	QUICK WITTED
EASILY TRAINABLE	KING GEORGE VI	SMOOTH MOVEMENT
ENERGETIC	LIVESTOCK	WALES
FARM DOG	LOVES CHILDREN	WATCH DOG

PULI

```
C G N I D D E H S N O N H B X W S M K Y L H C W
G H C M H E R D I N G T R I A L S U J M P H M L
K R L R D N Q R H Y F M T X V H F M O U R M R S
B E O L V E S I C R E X E D E E N B L I L D E J
Z N B O I D F V N J G P T Y Z X M I Y P R B K G
G E K X M L N A J D T J Q V D W K P U F I U U T
O R G N Z I U V M J N D D J N Y P O A R M N C N
D G K X T M N P H I C P M N C A R Y T G D L W A
R E V T B Z G G N V L W H Y H G J R B O I K B R
E T R D L C N G C A R Y G B G K A W G L C L L E
T I K V K F W K Y M I J O N R Y B M P O X L E L
A C L L G T M F L H B R I R G L L F T I R Y M O
W T M W R L U F D N N D A A I Y G S T L Z K G T
N O G N A L J N N N R R M G Y E E O P U J R D D
A L X M Y F B R R E N B F R N V N D D P H Y K L
I A N I W W G Q H K D V F K I U H T Y H D T K O
R S W D H W C K M T R K Q L H R H U E X C B D C
A K V D I M G N I D R E H P E E H S N D T T K F
G R T L T D N I K J Y M D P P R P Y M G L G A T
N A R E E P Z Y P R O T E C T I V E X N A B N W
U B E A M O P O N S P R I N G S W K R B K R D L
H K L G B N N N R T M C Y H Q M T B Y H L K Y J
Z G A E Z W K R N A C R O B A T I C W J W Z P D
L B K S G J N N J X J D J P L Y B K N M V G N B
```

ACROBATIC	GUNDOG	MIDDLE AGES
AGILE	HAPPY	MOP ON SPRINGS
ALERT	HERDING GROUP	NEED EXERCISE
BARKS A LOT	HERDING TRIALS	NON SHEDDING
BLK GRAY WHITE	HUNGARIAN PULI	PLAYFUL
COLD TOLERANT	HUNGARIAN WATER DOG	PROTECTIVE
CURIOUS	HUNGARY	PULI
ENERGETIC	KIND	PULIK
FAMILY ORIENTED	LIVESTOCK	SHEEP HERDING
GROOMING	MAGYAR TRIBES	WATCH DOG

SHETLAND SHEEPDOG

```
X E F F O R T L E S S G A I T G D N T N N T J R J X Y
Q K S V G E N T L E L E I L L O C R E D R O B B N S K
F T F L B A D K L X Y M G Y N D N T K T N L L F H R L
D G N L A M M Y V D Z X R W H P D M C P T C F E B O V
C S T E J I C I J K T H O T T E V V R X T T T H V K T
G J G C I O R J A X E V O S H E L T I E N L L E F E X
L Z M O L D B T R B T L M Z H H Z X L T A D S W E N X
M V M L D D E J G M L P I L N S P Q R N J C P L E N P
M D I Z N E L B M N X E N G M D M O D N H K F S K W E
Y E M G Q T I K O H I C G F A N X I P I Q L A R T L C
S M F C W N R N W G Z D Z D N A S J L U A E K K B H S
C X L I V E S T O C K M R G D L K D F V L K W A T E E
O D Y Y G I F D Y O X N W E A T R L A P X A N Y T H I
T B Z F H R L T T Q T Q B N H E R N O R J I R A R B L
L R G D L O U L K R Y K D T N H H T X P A R N B R K L
A C N T W Y F Z X C V S M Y G S G N U R C O P I W G O
N F L R X L Y R Z B R F H Z I N M O T F I F G B M C C
D M H M C I A M T D J F Q T I D R Y M T N H D T B O D
R T Y Z J M L Z Q K L C I L L G L W C F T J R P L M N
K L D W Z A P R T K N R L Y G I R E H W P R W B O P A
T F E R L F T L H C B I P N S N F Q Q M A N K H Y A L
G Q T X L T F D M E W X I A Q F H F P H M T R Y A N T
Q V O T D X X T T G R D E Y A F R K K C D N C M L I E
R T V Z R Q G H K L R D K Y T O L A S K R A B H V O H
J R E D R E H P E E H S I P T E V I T I S N E S D N S
Z X D X P K P Q H F R I E N D L Y H K D C P K K F O K
Z D O U B L E C O A T P M X G J C K R M D K T F M L G
```

AFFECTIONATE	EFFORTLESS GAIT	PLAYFUL
AGILE	FAMILY ORIENTED	POPULAR
AMIABLE	FRIENDLY	SCOTLAND
BARKS A LOT	GENTLE	SENSITIVE
BORDER COLLIE	GROOMING	SHEEP HERDER
BRIGHT	HERDING	SHELTIE
BRITISH NAVAL FLEET	HERDING GROUP	SHETLAND COLLIES
COLLIE	HERDING TRIALS	SHETLAND ISLANDS
COMPANION	LIVESTOCK	SHETLAND SHEEPDOG
DEVOTED	LOVES CHILDREN	TOONIE DOGS
DOUBLE COAT	LOYAL	WATCH DOG
EASILY TRAINABLE	OBEDIENT	WILLING TO PLEASE

The
Hound
Group

AFGHAN HOUND

```
M N N Y H G K B Y M B P D E G Y P T I A N P H A R A O H S
M Y B C V N T V R L U J F G T S E B I R T C I D N A M O N
L J R A W X N L Z O T L R E R A H G N I S R U O C F F T J
M R W T Z N M N R K Z O H T P X T O N G Y J V W B G X E P
Y G M L L N R G N D O K G O D H C T A W X T L C Y H R D E
V W B I H G D R G M L H M S D N U O H Y Z H K U R A B I R
L C K K H N B M I T G C H G E V I T I S N E S R L N K S S
K G W E U X M N L T X D C K M F Z C C B K Y H M Y I T H I
B R R O Z P G N I A R R E T S U O N I A T N U O M S M S A
D K H B H R M X H U N T E R T M N E T N P C N R Z T Y I N
B A L U C H I H O U N D T K A L S B O T W S D R C A J N G
K T R M G K N T W T N T J N L I V I P C T D O C N N L W R
M C K I F E Y L N H N W C M C K S I G H T H O U N D W O E
B C Z Z N R N L C J F I B R R S K T L Y P B R S T Y V L Y
W A N F G C H T T R E T E D E P M H T R W C K E Z H H C H
T N R L L V O X L N T X R R M F T L R K H P D Y F M E V O
D M R F M C D L T E E G P L K R G U F V M K N E J N A R U
R G E B L N D T D D W X M T M P T F N J M I U D W C T H N
N N F S H L I D E T E I E B X L C Y D B N L O E D H T K D
D I I Z I M M E N C O E T L Y Z T A P D K B H P J K O N S
K S N C E L N E I I F L O H D L P L E N K Y N A R H L F G
T R E S B R K T L E D N E C C L D P K L F G A H J J E N C
X U D D K W O Y G L G R Y R F H E N H K C P H S T R R Y M
M O H R F X M R C E E N A T A N I B E B O K G D T N A T O
X C E V E Z A V A O B Z H Z D N N L M I O K F N X Z N K X
L E A N M L V R N X A N A E C Z T C D O R Z A O Z T T P Y
Z R D D Q L S H W T H T N G N L N G Z R X F C M L L V R F
N U B N K B K Y L O G T L N L F O D L O E Y Z L M N N V N
Z L Q Z M G M V Y Y F Y R Q K H N V M X L N T A Y L L B B
```

AFGHAN HOUND	FRIENDLY	NEED EXERCISE
AFGHANISTAN	GAZELLE	NOMANDIC TRIBES
ALMOND SHAPED EYES	GENTLE WITH CHILDREN	PERSIAN GREYHOUNDS
ANCIENT TIMES	GROOMING	PLAYFUL
BALUCHI HOUND	HEAT TOLERANT	REFINED HEAD
BARUKHZY HOUNDS	HOUND GROUP	SENSITIVE
CATLIKE	HUNTER	SIGHTHOUND
CLOWNISH SIDE	INDEPENDENT	SILKY COAT
COLD TOLERANT	LARGE FEET	SOUTHERN
COURSING HARE	LONG EARS	TAZI
EGYPTIAN PHARAOHS	LURE COURSING	WATCH DOG
EXOTIC EXPRESSION	MOUNTAINOUS TERRAIN	ZARDIN

AMERICAN FOXHOUND

```
F W E L L M A N N E R E D N J V E N G L A N D
T T G W Z Y E S I C R E X E D E E N E M F R L
Q R M D N G T T S R Q T K C J P C N B M Q Y X
T F M J E T E I A D X M Q F Z R E R K X H Q H
D N R G F E Y N L N N W D Z J R R H Y P R R X
N G U A O Q P W T I O U K P G B X U L K K T S
U M X N N O Y S D L B I O E R F P N D C Z R R
O R T K I C D L Z N E A T H H V C T N A E A E
H M L M K T E M M F N I G C R T T E E L C I H
X T L K Z W E L A O C W D N E E Z R I H N L T
O N K D G G V D I N A T G F I F K C R O A I O
F N L T G D C N S L J P Z R R P F L F U R N R
N F B I M X A R K T U M R M E R M A A N U G B
A P R Y P P L E P O A V F X L F Z U X W D F R
C T C C M L R L R G H T R K A T T M J M N O E
I P R O F S H G O U W D E B N V N H R T E X K
R F C P T M D D D F G X L S D K M R L L T B L
E N L R W N H S M P S C E N T H O U N D Y F A
M B A N U C P W T D A E L E E S S E N N E T W
A I K O T E N V T Z S D N U O H K C A P M M V
N P H A T F T O L E R A N T A M I A B L E P N
K W W H G W A S H I N G T O N M A U P H I N Q
P L F A T H E R O F T H E B R E E D L X T Y X
```

AFFECTIONATE	GENTLE	SPEED
AMERICAN FOXHOUND	GOODMAN	TENNESSEE LEAD
AMIABLE	G WASHINGTON MAUPHIN	TOLERANT
CALHOUN	HOUND GROUP	TRAILING FOX
COMPANION	HUDSPETH	TRIGG
ENDURANCE	HUNTER	UNITED STATES
ENERGETIC	IRELAND	WALKER BROTHERS
ENGLAND	JUMPING ABILITY	WALKER HOUNDS
FATHER OF THE BREED	NEED EXERCISE	WALKER STRAIN
FRANCE	PACK HOUNDS	WATCH DOG
FRIENDLY	SCENTHOUND	WELL MANNERED

BASENJI

```
A C G N J N Q B R V T N P R K D B M G T Y C V L V D Q
T C O N D I K L E M L E L C Y C S U R T S E E C I W T
M S I N I G N N T K L N A N C Z H K S G L R Q T F D L
C C L R G S O Q N P H M Y N P Q Q I G R M M K K W I Y
A E B M F O R D U T R R F J C W E J D L W D Q N A V D
T N V L W A T U H I K R U H X F V T Z V K J N R Z Q K
L T B R K V L E O C S Y L V K H C N N R E H T U O S H
I H Q D K N R A R C T I X H M R C O N G O D O G W U W
K O T C P K Y L R R E A T B J L D Q H P N J P M N Z T
E U B T Q X N K L T I R W I J G P M U A K L Y T T V A
C N Q Y Y X W X L G N E U N V R L O E E L K I A X F G
G D D F T F Z C R F T E R L I E R S I T Y N O F F Y N
T N E D N E P E D N I F C M Q G A R Y R G C X E C H I
H Y L D N E I R F V T M I N D H H P D S T N C W T Z H
T E N E R G E T I C Y T N N C S R F M R K T V G N P T
G Z K D D N R W P L I Y U B L P K A O K I X Q B A Y H
M A S M E G E T V V L O N W W G L H C O L J L N R G S
X N M I M V B E E P H Q O M Q L S M N Y N F F M E M U
K D T V G K R B D M W H M F G S W A C L E V E R L Y B
K E L N T H R E T E L W R A T J T T N N K L N M O H H
F D M P N E T K E E X N M U K E T N J I M R K T T U K
J O T T E Y R H D R Q E B X X T N E Y J K P M H T N N
B G N D R M N O O Y Z B R C Y H K I Q N C J T R A T R
K S R Z X Q Y N G U O V F C N D K C V E K G V R E E Q
Q B A R K L E S S R N M M N I K B N Q S L X Y N H R N
M B N Y H N P H N Y B D C J K S H A V A K H L Y M S M
N S R E T N U H K C A P K D T B E R C B C D N G V X R
```

AFFECTIONATE
ANCIENT
BARKLESS
BASENJI
BUSH THING
CATLIKE
CENTRAL AFRICA
CHASE AND TRAIL
CLEVER
CONGO DOG
CONGO TERRIER
ENERGETIC

FEISTY
FRIENDLY
HEAT TOLERANT
HOUND GROUP
HUNTER
HUNTING SMALL GAME
INDEPENDENT
INQUISITIVE
LURE COURSING
NEED EXERCISE
PACK HUNTERS
PLAYFUL

PRIMITIVE BREED
PYGMY HUNTERS
REERVED
SCENTHOUND
SHORT COAT
SIGHTHOUND
SOUTHERN
STUBBORN
TWICE ESTRUS CYCLE
WATCH DOG
YODEL HOWL SHRIEK
ZANDE DOGS

BASSET HOUND

```
T S X V F S V T M M F G H Q B Y N K T F N T P M L L P
T Y L M P R E N P N I H O L B W D A N Z X U D H L C O
L Z L O F N R Y X D H L W O L B O O S Y O R M L K R W
Q M I D W T L D E F L N D D D C T E B R X G P L L R E
G K A D N M Z L K D W K P E T N I X G Y F W R W A M R
Y N R N K E O Y B M A B D H X P A D Y I V N T B T C F
Y E T U R B I V B N K S G T P E N T E M N A A D E F U
T A D O M L F R I N G I N U B U R L U N X S E R E T L
R S N H M T K T F N T X P T O V D C W R S B N H F X G
A Y A T N D H V R K G H N H L T K R I E E Z L T D R A
I G F E W W W A C W S A X F R L I J T S M D H Q N P I
L O F S J R M I X U R C Z I L N C Y L M E T K R U Z T
I I I S Q I H G H E L G A V K S G E L T R O H S O E R
N N N A A T V F L N L L L W B F R P N T M N W R N Z
G G S B N N D O R M S R E M L K L H H K N L T X G O M
L P L M Q B T F L A C S X E T A N O I T C E F F A B C
A E M C N D H D O H N X K Z C S T U B B O R N T K R K
R D R K L M M R U G M C R M C G W C T P N P P B Q E M
G G D O B R T O D P L K E L X L F K J F D F T Q B I K
E O C X T R B O B J R T W Q R T V L K M B L T B T V C
M D V R H L P L A Y F S C E N T H O U N D R K N N A Z
U H Q N R Q Z D Y N F G K V K P T Z H K K L T X W E C
Z C R C J C K K M Y R C C H E A T T O L E R A N T H F
Z T F Z X T L Y N W A K G G F Q R R N G Q Q Q F J M V
L A X L O N G E A R S K F M C M P N B M T L M L J X V
E W L Y T H K D T Y K G W D N E R D L I H C S E V O L
K K D N A M R O N N E I S E T R A T E S S A B P J R M
```

AFFECTIONATE	GOOD NATURED	ROUND FEET
AMIABLE	HEAT TOLERANT	SAD EYES
BASSET	HEAVIER BONE	SCENTHOUND
BASSET ARTESIEN NORMAND	HEAVY BODY	SHORT LEGS
BASSET HOUND	HOUND GROUP	SLOW MOVING
CALM	HUSH PUPPIES	SNIFF AND TRAIL
COLD TOLERANT	LARGE MUZZLE	STUBBORN
DROOL	LONG EARS	THICK TIGHT COAT
EASY GOING	LOUD BAY	TRACKER
FIELD TRIALS	LOVES CHILDREN	TRAILING
FRANCE	MILD EXERCISE	WATCH DOG
FRIENDLY	POWERFUL GAIT	WRINKLES

BEAGLE

```
C S E R O L P X E G L V M H R M G T P P M X T
E L L I N D E P E N D E N T Y Y Z T M A L N J
N N D N A L G N E R N M L C R M N K W C T R T
O N E K R V E L G A E B H S I L G N E K L O T
I M S R M G G Q T N Y L Z F K D H P Z H E U R
T L Y L G Z L N B E V N I Y Q P N F C U L N A
C C M L A E Y Q C L N R C A P M M D D N T D I
E V N A D I T L Y G N R B X R X L H L T N E L
T P K K M N R I G A K D D G Z T K R W E E D I
E Y N B H I E T C E M N T R T P P B L R G E N
D L E G O R A I D B E T A N O I T C E F F A G
D J E G W W C B R L Q H A F S L P L Y W T R R
N K D B L N P B L F E R X C J U K N J N D S A
A F E L S R G C K E E I E F O C G C A P P K B
B N X C M B V K X L X N F R A F O R P L J R B
A G E R B F H R O L T Y G B F M E L A C M K I
R O R X G R T T T H C D T W P L P Y K Y L G T
T D C B R D D R O J N R R A O X F T N N N B S
N H I G A L N U L U O W N T V U R D J M B J M
O C S B O R N C O H X I L B L N L R T X N T B
C T E C Y D K H S C O H E A T T O L E R A N T
L A H W G Y L S J N B J X F N F R L V W Z X W
N W V S N O O P Y S Q U A R E M U Z Z L E X F
```

AFFECTIONATE
AMIABLE
BARKS
BEAGLE
COLD TOLERANT
COMPANION
CONTRABAND DETECTION
ENERGETIC
ENGLAND
ENGLISH BEAGLE

EXPLORES
FIELD TRIALS
FRIENDLY
GENTLE
HEAT TOLERANT
HOUND GROUP
HOWLS
INDEPENDENT
NEED EXERCISE
PACK HUNTER

PLAYFUL
ROUNDED EARS
SCENTHOUND
SHORT BACK
SNOOPY
SQUARE MUZZLE
TOLERANT
TRAILER
TRAILING RABBITS
WATCH DOG

BLACK AND TAN COONHOUND

```
T X K R T N E D N E P E D N I B Z R V N Z R D F M
H R Q K W A T C H D O G L Y L R H N N B H L W T K
K N A T R L K Q Y W M M B U E R D K X K X A N F B
D R M I Q N F B L K M Y E L V L M G R R P Z R W Z
N U P P L P E L H L R R K L K Z B N H P W I F N G
U J N T C M T E K C I C F R R Q M A A K E L I L T
O R W I R C Z X D D M D Y M A Y M L I N K G M B N
H A K R T T Y Q G E N M L D W Z A P D M H M S Q A
N C D L R E R E N Y X E T X S C O L W T A R C G R
O C P B Z C D T B T V E D T H T Y W H K E F N N E
O O L H M G N S K I R X R I N V U U X T Y O T P L
C O A Y L B K G T T T P A C L A N B N G R X D N O
N N Y J A C W C T A U N L R I T R U B T Z H D I T
A S F C C H E H K O T K W R S S H E S O R O W A D
T A U T M T L D R J B E N Y P T E Q L G R U R R L
D N L H O T Z G P G K Q S T T J J C J O R N Z R O
N D M R R F D E E R B N A C I R E M A P T D L E C
A B P F F N L S C E N T H O U N D M J B D T T T L
K E W K U K L N A T K C A L B N A C I R E M A D F
C A K O T F X L R H C M N T M V T L G L W Y F E W
A R H S M O K E Y M O U N T A I N P W B W D F G H
L S K A F F E C T I O N A T E D R W N V N L G G R
B V T K M G H N M D R C L B A Y A N D H O W L U K
X K N W O L L E M B L O O D H O U N D K Z R F R M
V M G E N T L E W I T H C H I L D R E N W L C B Q
```

AFFECTIONATE	FOXHOUND	PLAYFUL
AMERICAN BLACK TAN	FRIENDLY	PROTECTIVE
AMERICAN BREED	GENTLE WITH CHILDREN	RACCOONS AND BEARS
AMIABLE	HEAT TOLERANT	RUGGED TERRAIN
APPALACHIAN	HOUND GROUP	SCENTHOUND
BAY AND HOWL	HUNTERS	SMOKEY MOUNTAIN
BLACK AND TAN COONHOUND	INDEPENDENT	STRONG
BLOODHOUND	MELLOW	STUBBORN
BLUE RIDGE	NEED EXERCISE	TRAIL
CALM	NIGHT HUNTS	UNITED STATES
COLD TOLERANT	OZARK	WATCH DOG

BLOODHOUND

```
B A Y T T Z T D H U N T I N G F Q P N W S J S C G R
L C T R U S T W O R T H Y J G L L N R E R B L F K W
W T T G M A V G Y P K M W L Y A B I R T M C A S Y Z
J I N G Q Z F T H F G X L T Y T N E K Z Y T V T N B
Z V T C W X G F D M J R N F W K T D J D L R E H R R
V E L T T W N X E D X E U Y L S Z N M E V J T U O T
B Q F W T D C K W C D L C E A G R U M I N K R B B R
W P G X B Z B A K N T H S N K M T O N F P P A E B D
F Y K N M L T T E D I I O W V Q F H Z I K Y I R U R
R Y D Y Y C O P G E K M O H N B D D K N D F L T T O
I T H N H Q E O N S S S T N T C L O L G R V E S S R
E L W D U D S S D N E E R I A M T O J I J W R H Z E
N K O H N O T H D E J G A A K T M L X D R B S O L U
D G H I G H H N O W D G A R E D E B P E K N F U Z Q
L R Q M U U A T F R C H P E C G N Z D L B L M N Q N
Y L G B Q L O H N I T U O R L H N C K B M X J D L O
L K E E G T H T T E O C P U K D A O K O U M R W N C
F R V N N R S Y R C Z O N N V D N L N I F M X K E
T P E M Z T A D G P X S H A Y D F I D P G T L K F H
C W Q L K L L D F W Y V L V T L S L M R L T M D R T
Y R C K E P N E T N A R E L O T D L O C E N Q P F M
R L R D P U V J P H E N E R G E T I C R B S Y J L W
M L A C O T R A I L I N G M B J F T C C V C C W T R
N G L H R J G N R D N O I N A P M O C K V T W U N D
L L K Y X L R J T D M R N E E D S E X E R C I S E L
C H R V K X K Z T Y Y W E C N A R U D N E T P W Y Q
```

ACTIVE	ENGLAND	SCENTHOUND
AFFECTIONATE	FRIENDLY	SEARCH AND RESCUE
BELGIUM	GENTLE	SHORT COAT
BLOODED HOUNDS	HOUND GROUP	SLAVE TRAILERS
BLOODHOUND	HUNTING	ST HUBERTS HOUND
CALM	INDEPENDENT	STUBBORN
CHIEN ST HUBERT	LONG EARS	TOUGH
COLD TOLERANT	MIDDLE AGES	TRAILING
COMPANION	MONASTERES	TRUSTWORTHY
ELASTIC GAIT	NEEDS EXERCISE	WATCH DOG
ENDURANCE	NOBLE DIGNIFIED	WM THE CONQUEROR
ENERGETIC	PLAYFUL	WRINKLES

BORZOI

```
H S V Z G J Y L D N E I R F Q Y G K R Y D T F Z J
C O K J J T N E F G R E Y H O U N D B U I L D H R
T F C D F G N Y V D V N X G N I S R U O C E R U L
I T O N W O T T K I R Q D R R W C R C R R P C W
V E U U C I L H A L T J P V V C F N T U Q U N T D
E X R O W O M D K O R C J S B S R F N P O L E N P
Y P S H L Z V Y E L C M E M E T O N J R F E D X E
A R I F X R V T V D V Y C T N R I U G N F R Y L R
L E N L R O L B X L E L K K O N F D T E N P P C C
O S G O Z B K N R W X A L L G R N S R H G N R K H
C S W W F M R W E G R W R H I U P A M Z E Q Z Q I
I I O N M B T T N E V G O S O S H I P T F R M G N
N O L A N F R V M Z D U T H G A D T L R M C N N O
I N V I R D M G H X N E N J F D N Q A B H M B I K
A K E S P I N M Z D T K X F L A M N Y Y M N B M E
L L S S R H A R G P V C E E R M R K F K H Q T O N
O L D U U B F P B D V C A E R J J G U P J M N O N
C N K R S H G T A M T G L W N C X L L H L T B R E
I N R K S N T M R I E O N P R R I J F L R L B G L
N L J W I M W F O S T L T R R W L S H T V W G T S
T L Q T A N N N V D C H Y J N X V R E M N H Z G T
N W C T C B A R L T O E N E R G E T I C R C Z D R
T B F R Q T X O Z I R U S S I A N C Z A R H B G F
P L L F E T C J R M K M M F Q R E C N A G E L E V
R M K S I G H T H O U N D H X Y R B R V L N T Y M
```

AFFECTIONATE	GROOMING	RUNNING HOUND
A PAIR	HARE FEET	RUSSIA
BORZOI	HOUND GROUP	RUSSIAN CZAR
COLD TOLERANT	LURE COURSING	RUSSIAN WOLFHOUND
COURSING WOLVES	MIDDLE AGES	SERFS
ELEGANCE	NEED EXERCISE	SIGHTHOUND
ENERGETIC	NICOLAI NICOLAYEVITCH	SILKY COAT
FOLDED EARS	PERCHINO KENNELS	SOFT EXPRESSION
FRIENDLY	PLAYFUL	SOUTHERN
GREYHOUND BUILD	PROTECTIVE	TRIO

DACHSHUND

```
Q J N N G O D W O R R U B E L T T I L F P D D Z H V L X
A F F E C T I O N A T E V F R B R N A B E G H V L L F J
W F M R L Z G W V K V Z Q D L O B M F T D E K F R T T Y
N E R D L I H C S E V O L Y V N I L A L A R G Y W T N K
H N G M W T D R N M T J Z P N L L O S T C V F Q M X Y L
W I R E C O A T E D T D W C Y U C R T U Y D M B L C G V
E L R T K P M T X J W N V O F H E O X C O K R B Y K C N
N Q H C K Q R F R K R M R Y T T L T J N G I Z B D I G S
O B T T Y T X Q K Y V I A O N E M D N N P N R F F L G T
B G H R W L X N F B E L O U R K L P X F S H L U O C T C
T C K V A X D D L N P M H A H F M N Y G C U V W C W B Q
S V B F D C X T T Z S K N D W C R N E K S K C R X G L B
A F L C R G K E E R K T J N Z M Z L H H T R S I Q E L A
E D R E F V D I G R L R C G Y K T N I M O H U N X R B D
R E A Z K T P J N J R L A P V R J N M O D K O D Z M T G
B L K C W C P N R G Q I U B O R G H K N N L R E P A L E
T Z P L K M E L P L B O E H E B P E N Z U W U P V N C R
N Z F Z W S T T D O R Y S R A M D C K Q H L T E K Y I D
E U T B M T E G D G P Q S D Y L O E G Q S B N N Y K T O
N M L T Q Y Q L D V Z U G C E F R S R R H F E D R F E G
I D Z W K N N N Q R E L G E M R X J I C V V E X D G J
M E P A N Q U M X P R T G A V N L I D R A J D N Q K R M
O H Q T M O Q N T S N E T Q R Y T K E N D H A T M G E N
R C N C H T R H T T D V T V J C M L K N P J G W W B N X
P R M H V L S C E N T H O U N D R W Y T D V D N Z T E N
H A M D F R M S L A I R T G O D H T R A E L X N O F J M
X L X O L B K R Q M L T X D F R J R X V T F Y N R L V Z
X X N G S T R A I G H T B A C K M M C M P B R X Y V F K
```

ADVENTUROUS
AFFECTIONATE
ARCHED MUZZLE
BADGER DOG
BOLD
CURIOUS
DACHSHUND
DACKSEL
DIGS
EARTHDOG TRIALS
ENERGETIC
FAMILY ORIENTED

FLUSHING BADGERS
FRIENDLY
GERMANY
HEAT TOLERANT
HOUND GROUP
HUNTER
INDEPENDENT
LITTLE BURROW DOG
LONG HAIRED
LOVES CHILDREN
LOW CROOKED LEGGED
PLAYFUL

POPULAR
PROMINENT BREASTBONE
SCENTHOUND
SHORT LEGS
SMOOTH COATED
SOME BARK
STRAIGHT BACK
TECKEL
TERRIER
TRACKING BY SCENT
WATCH DOG
WIRE COATED

ENGLISH FOXHOUND

```
P M C R R J R L N K T M B Y R G M F K M D A L
R L P G M G W G R N P B L N L C V T P A N F G
N L A Y N Q E E R L D D D L G B C A Z N U F M
Q J P Y K T T N T E N R V H W F C L T I O E C
L H M X F N N K T E A Q E B N K B R R M H C T
S L R T U U J A I L Y T N F H H N L C A X T G
G T P H J J L R R P E R B O F Y K F M T O I R
O Q N G X Y F V T E Y H U R P I O P H S F O P
D V E X D J F C N K L N E U I X N T Q T H N K
S C E N T H O U N D D O O N H T N S M A S A Y
E H D M T T M J T G Y R T O O A A C P E I T H
S P E N R Z K H G O G V U T R B Q I X R L E T
R J X X A Y H T Q D C N K E A Z E D N G G Y L
O Y E G I Y B L N H D N L N N E Q G J T N L A
H M R M L N Y U R C M O X B M W H V R K E R E
S R C D I P O Y E T T N A R D M X C B A J V W
E F I N N H F K L A Z Y F T C V T Y C H L B E
V Y S V G Z H T I W S K R N O I N A P M O C H
O D E T F B H H A T N A R E L O T D L O C L T
L F F M O G Z H R R G N B L A M I A B L E D Q
R F M M X P J P T M N E R D L I H C S E V O L
Z V V P O W E R F U L B U I L D G K F K F K Z
G O D Y T I C O N D R J T L E N E R G E T I C
```

AFFECTIONATE
AMIABLE
BAYS
COLD TOLERANT
COMPANION
ENERGETIC
ENGLISH FOXHOUND
FOXHOUND
FRIENDLY
GENTLE

GREAT BRITAIN
GREAT STAMINA
HEAT TOLERANT
HOUND GROUP
HUNTER
LARGE BONE
LOVES CHILDREN
LOVES HORSES DOGS
NEED EXERCISE
NO CITY DOG

PACK HOUND
PLAYFUL
POWERFUL BUILD
SCENTHOUND
SNIFFER
THE WEALTHY
TOLERANT
TRAILER
TRAILING FOX
WATCH DOG

GREYHOUND

```
D T M D H E N M M R C O U C H P O T A T O C B T W
D R G H E L S M S L H K Y R T C D D J X J K C P W
L A V C K E Y A U O W Z A X G R B H W L G P A V A
M C N F S G P F E N U N B L T P Y E D N T D L N T
C K Y T W G Y C N L C T J F U V L F I W T N M L C
G R K C M A E L H I P S H O R L R S K A T U Y T H
N A P Z L J C L E E P O R E M I R T O W G O T K D
I C T P C Q R N G R S G T A R U E C K F H H H C O
S I C V L K T F I N D T N T O N T N K V D Y T A G
R N G L L T M N Q N O N T C N R L F D T J E B B E
U G G M I F T F U P E L D J O A G H M L N R C D S
O Z R M T E F O O R N L Z H F Q W N T R Y G L E I
C Q E W R W H M E R E G S D T K Q Q B F P L L H C
E S A D C F D D M I E Q N S I G H T H O U N D C R
R R T Y R R K R F X C S R I G M G K K V R B H R E
U K B R T F R N R Q V F T T C K T K D X N X Z A X
L R R H X M E Y Q W U Q F L Q A L N T T K M L K E
K F I Q H P L L F R Q I T P A D R V C G V N J L D
T M T Z O D G L V W D N E W K W H T C F C V Z M E
N B A W X L C L F T N K J T Z P S N Y X N N F L E
J C I L N S E R A H G N I S R U O C N C M R T R N
R Q N L I K E T O C H A S E R R B D H V R Z X N R
R R M M Z R A F F E C T I O N A T E B X F W B L K
H G T L R B H K T N E D N E P E D N I P X Z T F N
R Y Q Q X H M L E L B A N I A R T Y L I S A E W R
```

AFFECTIONATE
ANCIENT TIMES
ARCHED BACK
CALM
COUCH POTATO
COURSING HARES
DEEP CHEST
EASILY TRAINABLE
FOREST LAWS
FRIENDLY

GREAT BRITAIN
GREYHOUND
HOUND GROUP
INDEPENDENT
LIKE TO CHASE
LONG LEGS
LURE COURSING
NEED EXERCISE
OPEN FIELD COURSING
PLAYFUL

QUIET
RACING
SHORT COAT
SIGHTHOUND
SOUTHERN
SPRINTER
TRACK RACING
WANT TO PLEASE
WATCH DOG
WELL MANNERED

HARRIER

```
F R I E N D L Y L N N O I S S E R P X E E L T N E G L
R R T L N K B Y Y C G S D N U O H T R E B U H T S T K
E V Q V W K T J L L L N M W M K L P T E E F T A C K C
N L X Y L U F Y A L P R I L A X Y W N K W K D H R R O
C V J S C E N T H O U N D O I T X X M M Z Q N T D K L
H M D V Z Q X L L L L T N B Z G A C M Y R X S U P R T D
B M C D L G R A C X G K Y G T T T H M C P R O T R P T
A M F H G F R M W P C Y S B H Q U G D M R A H N K J O
S X F K J G T K W C F H A E Y T K O N O B E K M L T L
S H F J E H R J M L O G A B R M K X B O G T C I O R E
E H U B K J D Q Z R X T P A O F V J R L L E A D V S R
T M O N D K N X T P T R I E E T G M T W B S P D E D A
N N G F T P L H R O R L N T N F S E B C L W G L S N N
E G L G N I A P L T P I A T P G F D N T R O N E T U T
D W L V R R N E F M L N L T Q M Z L N T Y L I A O O Z
N B Y K D E R G Q P O H R N Z T F A F E R F T G S H T
U K R C M A A K O I B A F T K P R R C H T Y N E N T N
O T O F N T R T T W I D L L U E G T I D T R E S I O C
H A N T W T L C B L T M N O L M K Z T R B E C J F B V
T E W K J E E K I R T C R O R T B Q E K W I S L F L N
E L R P V F Y N Q X I G T P G B F F G N O R M A N A P
H B Q E F T G R H T D T Q M L T V F R C L R R T B T N
C A L A Z H T G Q N H Y A F N M X L E K R A L H N K P
A I D Q A B X Y U C D C N I T N H L N L M H K R B R K
R M N R H T P O P X K Z V J N K M R E R Z J T K R Y K
B A E K Q K H L O V E S C H I L D R E N R M B P J V Q
M S D G G W E S I C R E X E D E E N Y T G R M N Q W J
```

AFFECTIONATE	HEAT TOLERANT	OUTGOING
AMIABLE	HOUND GROUP	PLAYFUL
BRACHET HOUND	HUNTING	SCENTHOUND
CAT FEET	LARGE BONE	SCENTING PACK HOUND
COLD TOLERANT	LEVEL TOPLINE	SHORT HARD COAT
ENERGETIC	LONG TAIL	ST HUBERT HOUNDS
FRENCH BASSET	LOVES CHILDREN	TALBOT HOUNDS
FRIENDLY	LOVES TO SNIFF	TENDS TO BAY
GENTLE EXPRESSION	LOW SET EARS	TOLERANT
GENTRY	MIDDLE AGES	TRAIL
GREAT BRITAIN	NEED EXERCISE	TRAILING HARES
HARRIER	NORMAN	WATCH DOG

IBIZAN HOUND

```
H S X N L B D C P F Q Q Q G R A C E F U L B Q N P P P D
H Z T N Y K V T B J G F Z O N O L D H T O P L F D R N Y
V W V I L L T S Y D M H P W C P R E T X M N P D T I B Z
Z H K F B X D M E K E L A N M D R E G N N B H L C M W B
W N K W V B F N M N A R E N Y K G R D K J T O G S I T S
C T R M M H A R E Y S C E H N Y D B Y D M C E W E T M K
Z V W B F S V R F I I E T P P I P E H Y C T N L N I O I
H T V X A W O U G B R R O T M U B R K K T T I X S V N L
W N R D Z T L U I N O F I F O E J A K K N R C F E E L L
K M L Z D R H O T W I A V R H N T R L A N C I D O M H E
Z T Z V T G C L T H N T G J G E N N R L L G A N F R R D
D D X G E N N S E T E D N L G T A E E R E O N U S M Y J
G N G N E N U T O T N R F U B C L R X V N D S O M C T U
N H T D J R G M X U I K N W H O T L I N E H E H E D K M
M L O L T K B B O R K C J L T L Y O M N R C A N L L K P
E P K G Y S L H S E M I T T N E I C N A G T T A L A L E
D L V N N X R W T V K N A Z M J F M M L E A R Z N Y T R
K I L I M O J Z P F L E G P N B N O O F T W A I N O B I
L K W S M S I G H T H O U N D M A P Y P I D D B K L B F
O E P R B O C J B B B T Z K V T L L R M C L E I W I V W
H S Y U K B Z F Y B G D R X L L R W A Q X W R H Z T M W
R T W O T M N E S I C R E X E D E E N E D V S A G N Z P
Y O N C C F L I N D E P E N D E N T Y Z R L H P F T D C
M C T E M N D E R E N N A M D L I M C A E I B I S E N C
R H M R J M L F N V L V T A O C H T O O M S C L L Z D C
R A M U B T H C W Z M N X M O O W T T L B H L D F N T M
N S C L D K H K L R T P O R B G W R L Y K D W T O J P P
V E X C L K P V C M L N Z M W M K F S I B U N A K G M Y
```

ANCIENT TIMES
ANUBIS
ATHLETIC
BALAERIC DOG
CA EIBISENC
EGYPTIAN TOMBS
ENERGETIC
EVEN TEMPERED
FRIENDLY
GENTLE
GRACEFUL
HANNIBAL

HEAT TOLERANT
HOUND GROUP
HUNTING RABBITS
IBIZA
IBIZAN HOUND
INDEPENDENT
LIKES TO CHASE
LOYAL
LURE COURSING
MILD MANNERED
NEED EXERCISE
PHOENICIAN SEA TRADERS

PLAYFUL
PODENCO IBICENCO
PRIMITIVE
RARE BREED
SENSE OF HEARING
SENSE OF SMELL
SIGHTHOUND
SKILLED JUMPER
SMOOTH COAT
SOUTHERN
TRUSTWORTHY
WATCH DOG

IRISH WOLFHOUND

```
L G I V E N A S G I F T S T T W Z R H W L B K M F T
X J M L G R Y I O Z R O B J P S O F T N A T U R E D
L H M F G G W R K H N N N H X T N E I T A P B G L G
M T L B B B L K E N E E D E X E R C I S E X R T Z R
R K E A T W L M N V N T W B C M Y W S W T E N N Z N
C Z T E R P D C G P A A H U Q H T E L B A A K C U E
A K W H W G M T N O T R F P K N V H T T I K S L M R
P T T G Q S E K K C D A B N M L V H D G N U Q V D D
T W Y F R K H R H C O F Q N O C P A E K O N Y D N L
A T N K N L N D O I A B L W V U N L B E N T Z D A I
I N F E Z N O H L U T F F O O E T B G F V J B N D H
N A M X A G V V G W N O F R W N H A W S K T Y U A C
G R D D P S R R W N R D G E E N R P E J I Q D O E S
A E E C C Y Y P Y E I D F G C U A N N A N K E H H E
G L E B C J P G T M N M C E O T S T G M M T E F G V
R O P G L M L N O U X T O C E I I Y E Z R T R L N O
A T C H L K U Q O I L L R O T T S O G B P J B O O L
H D H G L H D H C L N Z R I R A L N N Q I J E W L Q
A L E B F V G R A J P G V L E G Z B Z A F T G H B K
M O S L R N R T L N F E K M L Q G V R R T T R S J B
C C T L I R R Y M D M N G D M Q C R W A G E A I Z F
D Q H C E E V I T C E T O R P R B T Q C N B L R P Q
K R L Q N S D N U O H T H G I S T S E L L A T I W K
V Q M N D S M A L L F O L D E D E A R S Y F J D N N
F B R D L K Y F G S C O T T I S H D E E R H O U N D
W C W R Y H M S L A M I N A D L I W G N I T H G I F
```

AFFECTIONATE	FIGHTING WILD ANIMALS	LOVES CHILDREN
BORZOI	FRIENDLY	NEED EXERCISE
BRAN	GENTLE GIANT	PATIENT
BRAVERY	GIVEN AS GIFTS	PROTECTIVE
CALM	GREAT DANE	SCOTTISH DEERHOUND
CAPTAIN G A GRAHAM	GROOMING	SENSITIVE
COLD TOLERANT	HOUND GROUP	SMALL FOLDED EARS
COURAGEOUS	HUNTER OF WOLVES	SOFT NATURED
CU FAOIL	IRISH WOLFHOUND	SWEET
DEEP CHEST	LARGE BREED	TALLEST SIGHTHOUNDS
EASY GAIT	LARGE ROUND FEET	TIBETAN WOLFDOG
EASYGOING	LONG HEAD AND MUZZLE	WATCH DOG

NORWEGIAN ELKHOUND

```
F T R A I L I N G T W Y I N D E P E N D E N T K G
L N Z R J P A N C I E N T T I M E S N K P K W N P
B R E T D N U H G L E K S R O N T P J R B J K W D
O L N E R B L H C U R L E D T A I L O N Q X L K R
I K N N D Z R K U J X K Q C T G P T G N I K R A B
S Y D N A E V O J N F Y B M R K E H A X N P T Y W
T V N G T I X D A L T G F F R C H Z F L K T C B N
E K U V A N D E Z D M I X N T R Z P R B E C X K W
R T O R O K A R R Y H K N I Y G N I M O O R G Z Y
O H H G C K G R A C R E V G Y T P W N X K R T R R
U I K N R C K W E U I E A Z E L I R N K Q N K R M
S C L W E N R R F L G S F D T L J L T H T C Y E E
K K E A D O T T C F O N E D M I K B I N W P C F Q
D C N T N E N E R G E T I C M F P F Z G U N F A L
C O A C U J P L N T R G D G C N N S G O A O D K B
O A I H Y P D Q H K E Q Y L T J C M R R R V F Y R
M T G D L Y R K B M D L G K O F N G U T E D M R M
P X E O O G D E N X R K V V Z C D D L N L Y S D S
A C W G O L L X R L E G C R K N N E T U B G J C E
N K R M W K C B E Q H P C G U E S U F M N R F Z Y
I H O Y H N T Y H Q L T J O W S R Y C I L Y N H E
O N N O V H M M T G D H H D T O A H K K P L H R L
N T U Y N B D D R D L L Z R U L C I M C T C K G A
F N X B P F J D O D O W O S P F V Y P C B L L Q V
D C P X D Y B M N V B T E E F L A V O L L A M S O
```

ADVENTUROUS	ELKHOUND	NORWAY
AGILITY	ENDURANCE	NORWEGIAN ELKHOUND
ALERT	ENERGETIC	OVAL EYES
ANCIENT TIMES	GROOMING	PLAYFUL
BARKING	GUARDIAN	PROTECTIVE
BOISTEROUS	HERDER	SMALL OVAL FEET
BOLD	HOUND GROUP	SPITZ
BROAD HEAD	HUNTING ELK	THICK COAT
COLD TOLERANT	INDEPENDENT	TRAILING
COMPANION	NEED EXERCISE	VIKINGS
CURLED TAIL	NORSK ELGHUND	WATCH DOG
EFFORTLESS TROT	NORTHERN	WOOLY UNDERCOAT

OTTERHOUND

```
L C X F K J H Q N E E D E X E R C I S E C T R C F
A W A T E R S P A N I E L L J H R V N D O A F H N
F F Q S E M I T T N E I C N A N X O F S A O A U P
F R L O W K E Y F L M B H Q H J I R W Z R C M N L
E T J M P L D T T T D K E B V N I I M A S R I T N
C C K K B T N X T N C R M C A E M H R D E E L I R
T K P C K V U F U A L C M P N M X E R N O D Y N O
I Y Q Z W B O O C R F Q M D E A B G K U U N O G B
O N M G K Z H M P E W O L R T R R L Q O T U R O B
N L Z H W D R T M L C Y N G E Q R F Z H E Y I T U
A P Y J O R E Z T O M Q W E N G K L X T R L E T T
T R Z O L Q T Z T T L M D X E I V B Y N C I N E S
E L L M L M T N E D R O P E R L M M D E O O T R T
T B P R W W O N Y L G K V Q T B Z O T C A M E S M
H L C L X K G N R O M N I E R E X Z O S T K D B P
L T D Z A L P T R C K R I N S G R L U R K R N U G
G R C N A Y M B G Q F F Q O G C L M N M G R O D E
F A M N P G F D B M V R R K G J H T I Y G R R L P
T I D Y K R N U C P N Z Q Z L Y O I J N G I B K Q
B L H V M W F B L L H K K K G T S H L D E A B Q H
X R M P Y N S U O R E T S I O B K A N D I D Y G R
D L I U B Y K C O T S H U N T E R U E M R D T D N
M R K X E S O N E G R A L B B X O K A W K E M L M
T E E F D E B B E W E G R A L H N H Z M D T N D N
M M Z T K L G O D H C T A W G G P T L R P N Y F Q
```

AFFECTIONATE	FAMILY ORIENTED	NEED EXERCISE
AMIABLE	FRANCE	OILY UNDERCOAT
ANCIENT TIMES	FRIENDLY	OTTERHOUND
BIG MUZZLE	GROOMING	PLAYFUL
BLOODHOUND	HOUND GROUP	RARE BREED
BOISTEROUS	HUNTER	SCENTHOUND
COARSE OUTER COAT	HUNTING OTTERS	STOCKY BUILD
COLD TOLERANT	KING JOHN	STUBBORN
COMPANION	LARGE NOSE	SWIMMER
DETERMINED	LARGE WEBBED FEET	TRAIL
EASYGOING	LOVES CHILDREN	WATCH DOG
ENGLAND	LOW KEY	WATER SPANIEL

PETIT BASSET GRIFFON VENDEEN

```
T Y R T T R E L A W M Y J X N T V M L R Z R
W K X F D N U O H T N E C S N V J T Y N C V
N P M T A V G H L R W B K O F C R Q N R L A
L N T F V F F V B D R E I D S Z N L L X X N
K L N Z P N F L G B G N C M G N I T N U H C
P L A Y F U L E G R A K A N Z N Y Q V K N I
X D L B S F L T C P L L M X A E B X L O K E
E N K N W R X O M T L F V J S R D K I N C N
R Q M V I P A O N L I N N I K A F T N C F T
A S W G B A C E O G R O C X E L I R N I R B
H S T V R P R W G N E R N H V S P R C T E R
G E H R Q B D R R N E Y G A O Q O T F E E E
N N X D O O L K E X O N E P T U V V R G G E
I E M E G N K X E T O L S B G E W L I R A D
L L Q H L J G D R L Y I T H R A V N E E I T
I B N C Z R E B M N D K C E T O M W N N T P
A M D A P E X Z O Y N O C C S V W C D E M R
R I R T N L R Z R N A F H O G W M S L G Y T
T N J S D G N R P T E D F V R B O C Y T K N
F H K U H K E K V B O C Z F H V W L G Q B F
K G R M L M M H G G G D G R O O M I N G N C
F T P W B R H X T R X V M E D I U M T A I L
```

AFFECTIONATE
ALERT
ANCIENT BREED
COMPANION
ENERGETIC
FRANCE
FREE GAIT
FRIENDLY
GROOMING

HUNTING
LONG EYEBROWS
LONG HEAD
LOW SET LONG EARS
MEDIUM TAIL
MERRY DISPOSITION
MUSTACHE
NEED EXERCISE
NIMBLENESS

PBGV
PLAYFUL
ROCKY TERRAIN
ROUGH COAT
SCENTHOUND
SMALL LOW DOG
STRONG BONE
TRAILING HARE
WATCH DOG

PHARAOH HOUND

```
T A C Y D S M Y M T J R N R R G F F C J D T Z S G S
A T L A M W I R N K L F W C N L T K M N Z D B T W O
J L H V C K H G D E M B J T T P E N U L R E H I L U
X A K T P Q L E H B E Y L R Q N F O Q A P L K B Q T
M M P P F P E W R T L D V U E G H T B L U B Y B X H
D F L R X P M R F T H R E F S H G B F M O A G A Q E
Q O A E S V Y B M X V O L X O H I N L H R N T R N R
S G Y W G J G N K D L A U A E T I P T A G I D G R N
I O F O Q W N O N T T S R N D R J N F H D A Q N L M
B D U P R C L N D B N A E O D R C F G K N R T I V K
U L L D C R T B L H H E G M D N E I R F U T A T N Y
N A Y N L Z F E Q P C S C N I C P M S L O Y O N J W
A N P A Z K K J M Q B T L S T T M W N E H L C U J M
D O B E N E R G E T I C A I D R T X T P G I Y H T F
O I K C K K R L C G Q B O W R N N N R M X S S R V G
G T N A V W L Q P L Q N X X M Q A I E T D A S M R Q
L A M R B F R K R K A T K L W R M T M I T E O C F G
A N R G T Z Y T T T M T K K E I R W H V C G L B T Q
K R F F H B R Q E T M M M L T N Q R W G T N G N N V
C Z B B F X W M T T Y L O I D C T N X L I R A T Y C
A C L Y L D N E I R F T V L V W H K M T J S J V T Q
J C D X L C L T V D T E L R G N I S R U O C E R U L
M G T E G P Y T I A N P H A R A O H S Y R Y L M K K
D L G T Y W M M E T I A G G N I W O L F S V E L T E
J O H W L R N H D L I U B D N U O H Y E R G B Y X X
Z W J L A R G E M O B I L E E A R S Q V K M V R J K
```

AFFECTIONATE	GREYHOUND BUILD	PHARAOH HOUND
ANCIENT TIMES	HEAT TOLERANT	PLAYFUL
BLUSHING	HOUND GROUP	PRIMITIVE
EASILY TRAINABLE	HUNTING RABBITS	RABBIT DOGS
EGPYTIAN PHARAOHS	JACKAL GOD ANUBIS	SIGHT AND SCENT
ENERGETIC	KELB TAL FENEK	SIGHTHOUND
FLOWING GAIT	LARGE MOBILE EARS	SOUTHERN
FRIENDLY	LURE COURSING	SPEED
GLOSSY COAT	MALTA	SVELTE
GLOW	NATIONAL DOG OF MALTA	WATCH DOG
GRACE AND POWER	NEED EXERCISE	

RHODESIAN RIDGEBACK

```
B L N M J D B Y S R A E T E S H G I H C T Z Z
H R M Z J G T N X I Z J D O M I N E E R I N G
M H T Y R M T B Y D G E V I T C E T O R P K W
F Z K Z P E H T B L P H L J B D M F G E P B P
E N E R G E T I C B F M T R R J L K P L O E K
K X L N N F Q N K R N T S H T K K T V B W G S
V L L T E Y L L U O S O J T O P N L H A E D C
V N T A R E X Z I H U L N Y U U R T X N R I E
G P S M B V D N N T E A E O F A N B R I F R N
N L F T W I A E H F R L R E F Q O D L A U N T
I A N R R P R A X E M G I F K I N A T R L A H
S Y C G M O F T L E D H E T S B Y R F T J I O
R F T O O R N O T N R C H T A O O H R Y D S U
U U C F I D T G U O T C E K L S X D T L T E N
O L F C N D H O W I T R I H N D R K Y I Q D D
C P A R L Q H C O I O N R S L A C E G S B O S
E B M O M X M N T U L C E T E F I W V A Y H G
R V C K B L A F S A R L N T W J V D L E Q R O
U T L D E T O V E D W K E D T N M Y R K C Q D
L K P D E M K T M T T Y M D N O Q M B A N M N
H E A T T O L E R A N T K J T G H B F H U M O
M R Z M R A F R I C A N L I O N H O U N D G I
L K G N I T N U H E M A G E G R A L K Q L Q L
```

AFFECTIONATE	HEAT TOLERANT	POWERFUL
AFRICAN LION HOUND	HIGH SET EARS	PROTECTIVE
BOISTEROUS	HOTTENTOT TRIBAL	RHODESIAN RIDGEBK
COLD TOLERANT	HOUND GROUP	SCENTHOUND
COMPANION	LARGE GAME HUNTING	SIGHTHOUND
DEVOTED	LION DOGS	SLEEK BODY
DOMINEERING	LOYAL	SOUTH AFRICA
EASILY TRAINABLE	LURE COURSING	STRONG WILLED
ENERGETIC	NEED EXERCISE	VERSATILE HUNTER
GUARDIAN	PLAYFUL	WATCH DOG

SALUKI

```
D S E D I S N I E T A D E S T E I U Q N L G T F C D K N
T F O C D P D S I G H T H O U N D L K R W Y V R X C F V
M N L U L G N F C H G J L D J H D N U O H E L L E Z A G
I O B V T W N R H G E L B A N I A R T Y L I S A E F T L
D I P L M H M I K G E N T L E W I T H C H I L D R E N G
D N V V P N E L S Y Q D Z M K V F S D A M O N B A R A G
L A M D P Q D R Y A Y H K N T A K Z K C K J K X M Y N N
E P W V B X K K N B H L T M I N J L O K D G V D L I E J
E M L F T M H R L J X C R C L T C U D T H P C G S Y V G
A O D A Q H K M Q V K T U K T P R R Z Y R W K R B C I N
S C R E Y N E E D E X E R C I S E D D A L B U F E P T I
T C D T E F Y M Y P L T P Z I X J W B F N O Y A D J C S
G I C N Y P U C D E N Y C N P X D R L F C M S M O T E R
K T T M U F N L S A J F G I F X G R S E B G B I U H T U
K O L G N O T A R Q R H R K R M T H R C D N M L I R O O
H X X W Y G H E R I A Y P U L J Y U L T J M O Y N R R C
L E R R T L L Y E R L U K L J K L D M I D Z T O M D P D
K V M T C O G N E G O A D A G R K M D O N M N R A X F L
B J J P T V D G R R R W K S F O L V T N T D A I S F L E
V K C T T L A K G C G T C B V M D Q L A V T I E T Z V I
D R A D Y Z T D H R V N R H D D B H F T R T T N E N G F
T E M N E X N E N K K N A T E W E J C E G N P T R P C N
H F J L V U D M R P T N P I T S Z V B T P L Y E Y X Y E
W N L W O L K K F N V P M P S A T N O D A R G D G T D P
J E G H O Y V L K W C N D R R R Z P J T V W E B R K T O
S G R I M R S E N S I T I V E G E I F F E H F T K Z G N
M L N C L A N C I E N T T I M E S P P D Z D B B N N Q X
W J V X W H N J N N R Q W T E N O E L B O N E H T G K J
```

AFFECTIONATE	FAMILY ORIENTED	PROTECTIVE
ANCIENT TIMES	FRIENDLY	QUIET
ARAB NOMADS	GAZELLE HOUND	SALUKI
ARCHED LOIN	GENTLE WITH CHILDREN	SEDATE INSIDE
BEDOUIN MASTER	HEAT TOLERANT	SELEUCIA
CHASING	HOUND GROUP	SENSITIVE
COURSING HARE GAZELLES	LURE COURSING	SHY
DEEP NARROW CHEST	MIDDLE EAST	SIGHTHOUND
DEVOTED	NEED EXERCISE	SOUTHERN
EASILY TRAINABLE	OPEN FIELD COURSING	TAZI
EGYPTIAN TOMBS	PERSIAN GREYHOUND	THE NOBLE ONE
EXOTIC COMPANION	PLAYFUL	WATCH DOG

SCOTTISH DEERHOUND

```
D R C K K K N M D K S I L K Y H A I R N V D T H K K N Z
A K T T G C O U R S I N G S T A G W B Z L M Q Z G T E G
T M K E M M T T Z X M K C F G T X M T K Z Z Z J F L R L
D B I P E Q T M R D F E K T I A G G N I T T O R T Q D O
P N G A M F X B M M V T G L Y E K W O L D N Q T M C L V
X V A T B N T G K I R N E E D E X E R C I S E H L S I E
C D K L V L R C T C H A R S H C R I S P H A I R I L H S
N T E H T O E I A L R N R E H T U O S N G N T G K M C T
P D G E O O S M M P T N A R E L O T D L O C H H X S S O
A G Q M R N C D P L M Z W V F Q N S Q F M T N R L R E C
F F I L E H V S K B N O T M K P E W M E H P R Z M E V H
R N F S T B O Q G O F V C W F G L K L O W Z D G Q T O A
G L Q E W G T U B N R R R Q A K R L U T E M N R Z R L S
R N L N C J S I N C I R L E W J O N T L L R U E T A T E
Q K L U T T L M K D E O L R T W D L S W L F O A V U L T
F L J L K I I X A V N D G P M N V Z E L M Q H T L Q C R
L F R Z T S B O J L D R R Y F G T G H Q A N R S M D L R
Y R K Y L N T C N I L M M P S W P K C K N D E P Q N U Y
V X R L O M T A M A Y F U K N A F R P N N T E E B I R T
M D Y Z N G Y R L T T O O G Y K E Y E K E T D E V H E Y
S M P R G R R N W F R E E L R J M R E M R K H D N G C L
U L R W T Z L Z M G D H T H D Y N M D K E X S T H N O B
O R M R A X N J D X C T R X T E V R H L D K I D T I U C
I G D M I L H N L A X D N K K H D Z Y J K V T P G L R C
C M C L L Q U D T I N D E P E N D E N T M T T D M O S N
A M V K T O Z S V R K Y F L G F G L A N P R O W D O I P
R G Q H H R U Z Y N N R P W M K N K Z R R K C K Y R N V
G M W T W M N B R D X N F J K B K D M Q S D S N D D G F
```

AFFECTIONATE
AMIABLE
COLD TOLERANT
COMPACT FEET
COURSING STAG
DEEP CHEST
DEERHOUND
DROOLING HINDQUARTERS
EASY GOING
FLAT SKULL
FRIENDLY
GRACIOUS

GREAT SPEED
GROOMING
HARSH CRISP HAIR
HOUND GROUP
INDEPENDENT
LONG TAIL
LOVES CHILDREN
LOVES TO CHASE
LOW KEY
LURE COURSING
MELLOW
MIDDLE AGES

MUSTACHE
NEED EXERCISE
NOBILITY
SCOTLAND
SCOTTISH DEERHOUND
SENSITIVE
SIGHTHOUND
SILKY HAIR
SMALL FOLDED EARS
SOUTHERN
TROTTING GAIT
WELL MANNERED

WHIPPET

```
F K S J C R M G N Q E T A N O I T C E F F A Q D Y F
G K R G N I S R U O C T I B B A R B R L H K G W R D
Z R A P Q L O V E S C H I L D R E N G E F N W E N C
G T E N P F N T N N R R T T F T N F L O I Z E P K M
G E D K S I G H T H O U N D T J Z T P C D M N P N H
M P E V C O M P A N I O N G V S N G A L O P W V G G
P P D F J T N R G Y Z G W H O E E R J V A N A M X G
N I L C C R E X D M M L F S G D G H I N K Y M N R T
I H O D L E E R E Y L T R V O A H N C K Y P F V S L
T W F Y L S D D T V Q E R P R U G C Q P U V X U L P
A X L Q N R E W N N T N Z V P G T T T O E M N E L W
L C L G R O X R E N V G M M A M N H R A E E Y L P S
I L A Y C H E L I F L L T I N A R G E D W F D B J R
A M M L C E R D R Z K A T K R A D X I R R D L A T E
N M S D M C C N O K D N B E C N L U L I N N R N K I
G J Q E J A I D Y K K D L I U G M E E N L D G I M R
R T R T W R S P L W L O N O K S T N R W L D Q A M R
E S M O X S E K I K T G H C I E D K B T T K P R F E
Y E X V Z N L F M T J N C Z E L N Y G L M P Q T X T
H N Z E X A N B A K K Z E F Y H M T T Y D L R Y R G
O S P D N M W E F L T D E I D S T N A S A E P L T N
U I Q R R R H K L C T R H Y D T K M Q F Q M W I M I
N T L F R O N M Y H A H M N N E R N W F B N X S K T
D I B N M O Z N Y H N P B F G X B N H J Q N G A D T
R V T B Z P N Q C L R J R T D V X O Z C J C R E P A
H E N E N E R G E T I C E U Q I S Y H P N A E L T R
```

AFFECTIONATE	GENTLE	POOR MANS RACE HORSE
ALERT	HARE FEET	RABBIT COURSING
CALM	HEAT TOLERANT	RACING
COMPANION	HOUND GROUP	RAG RACING
DEEP CHEST	ITALIAN GREYHOUND	RATTING TERRIERS
DEVOTED	LEAN PHYSIQUE	SENSITIVE
EASILY TRAINABLE	LOVES CHILDREN	SIGHTHOUND
ENERGETIC	MEDIUM SIZED	SMALL FOLDED EARS
ENGLAND	NEED EXERCISE	SNAP DOG
FAMILY ORIENTED	OBEDIENT	SOUTHERN
FREE MOVING GAIT	PEASANTS	WATCH DOG
FRIENDLY	PLAYFUL	WHIPPET

The
Non-Sporting
Group

AMERICAN ESKIMO DOG

```
E N J O Y S C O L D W E A T H E R K Y X J J T Q Z F P T
Y N Z T N N R M Q F T O N A I L A T I O N I P L O V G M
L M T Q W Z L I V G N I T R O P S N O N P N Q U R Y P N
D G P G N B L K L N R R K D J Z B T F V C G H N G S Z B
N K L R E Q T S C F R Q G O D H C T A W Q V D I P U B M
E E K J J R Z E W R E Y L Z L N T T M S L V L T C O Y M
I N E D M T M N K L R L N O R T H E R N R K M E T I D T
R E E K N B L A C K L I P S V H X A W B L S X D J C O Q
F R S Z R T T C N P D M M O F E E T C L R F E S C A B R
R G H T D F H I K Y H D J Z E R S Z K E N A K T M N T H
H E O I N J C R K B K K T G A P T C M M G R Q A F E C C
B T N P L V L E M L V N K L N N G R H E Q N X T G T A X
W I D S F A R M D O G S U P E I O N R I W N K E B N P P
R C R N Z G N A M L T G O D W F V T I T L D R S T R M M
G M Q A Z N Z K Y W N M N D R X O O A K L D L C N Q O N
X L V C Q R N T L A E E Z E O P V O L P R D R W Y Y C W
Y B D I G N Q L I R P Z P L L G C T B N O O H E K M F H
L V N R N R V R A E W S I E P E O T E U U T W W N F P W
C X V E H G T N D N U O A E T Y K F B E H F F N P K F H
W O N M K J I N D C N S R I Z T X L T R F K T J M B N Q
G N M A W A I M R L E F H T X N E X T H N L Y L E V I L
V L F P N N N I I X O W I F F C W M T C E K A K T H L W
R M U M A T C K T R K P H M O B W N F P X P T V N R K Y
P P Q F R N E R M F S C W A M R K B G M Z K E T O V M X
P M M T Y R I E H L K D T J Y I M X E S K I E O B G N D
Z W K R U A R O C D Q J W J M G P R N C K Z T P P N K R
M D K F Y G L G N L N B F R Y H M H X H V Y C L T L K L
T G F H N X F P Y N X R G K V T F L K T G P C R L D E L
```

AMERICAN ESKIMO	ESKIE	OVAL FEET
AMERICAN SPITZ	FARM DOGS	PERFORMER
BLACK LIPS	FRIENDLY	PLAYFUL
BRIGHT	FUN LOVING	POMERANIAN
CIRCUS PERFORMERS	GERMANY	SPITZ
COMPACT BODY	INDEPENDENT	TENACIOUS
COMPANION	KEESHOND	TRIANGULAR EARS
DOG OF THE PEOPLE	LIONLIKE RUFF	UNITED STATES
DOUBLE COAT	LIVELY	VOLPINO ITALIANO
EAGER TO PLEASE	LOVES CHILDREN	WATCH DOG
ENERGETIC	NON SPORTING	WHITE COAT
ENJOYS COLD WEATHER	NORTHERN	WORKING PEOPLE

BICHON FRISE

```
N P R T V L F J T G O D T E E R T S N O M M O C L
M E F R L X P F R Z P R X Y C N R S W F T Q R K M
Y S R L K Z L O U R T E B R A B V G Y K N X L R Z
D I N D M N O T R P R R N M P R Y O O P M F P K W
V R Y W L M A C E H R D X S X M D D R D L R Y M F
Y F K F I I B E N N A E E J R N M P E K R M R W N
K N M N R G H C N R E N D T D C E A S D W E V K W
B O G O N I Y C K A S R D W H D C L P L N W T X N
I H N R S M E E S I R G I S O B N E O R Y D T A N
C C O F R T Y N T E L R E F I P A T N H Y S K L W
H I N C H E L I D U V M E C E J R I S H N K R N L
O B S R S G V Y F L I O H T M D F H I T N R M C C
N T P Q G E V Y W T Y O L R I R O W V G F A T H L
T A O K L L A N T H N G G W M D L G E B M B S J M
E O R K G L M N T A I C P A F F E C T I O N A T E
N C T M P Z E T P T I T P T W N L M W G O U H W R
E E I G N I N O M T E C E C Z G O F R H F M N Z Y
R L N L C T L M E L R K W H R X V S C J K N R C M
I B G N R L T G I K L B L D R T X I H J T F P B Y
F U A M F L R G K T X M Y O D M B T Z E K Y V T M
E O Z R B E A K C T X G R G J R T Y R X D J X F M
B D I P N K S R A E P O R D A H C D M Y L D X J N
L S K E P E R F O R M E R B I N Q U I S I T I V E
E H A P P Y G O L U C K Y N O I N A P M O C L N K
U P P E R C L A S S P E T S M T R R K R L P L X G
```

AFFECTIONATE	DARK EYES	NON SPORTING
AGILE	DOUBLE COAT	NO SHEDDING
ANCIENT TIMES	DROP EARS	PERFORMER
BARBET	ENERGETIC	PLAYFUL
BARBICHONS	FRANCE	POWDER PUFF
BARKS	FRIENDLY	RESPONSIVE
BICHON A POLL FRISE	GROOMING	SENSITIVE
BICHON FRISE	HAPPY GO LUCKY	TENERIFE DOG
BICHON TENERIFE	INQUISITIVE	UPPER CLASS PETS
BOUNCY	LOVES CHILDREN	WATCH DOG
COMMON STREET DOG	MEDITERRANEAN	WATER DOG
COMPANION	MOSTLY WHITE	WHITE LAPDOGS

BOSTON TERRIER

```
M Z E V I T I S N E S D K B M G R G O D L L U B R W H
P R O U N D H E A D S L L U K S E R A U Q S T D E J T
E J M W H R R G V Y L K U L X G N Y G Z F U Q E I N G
R B F T R G H P V H P P E N O B Z T L H C N G K R Y N
E W T B W F C R L L P A C D I J O Z K N V A D C R H E
C D W S J Q R B N A R L L K T T B S A B B K K A E L R
T W A Q M C N O R N Y L M J Q C E E T R R T T B T Z T
E A Q P M A I M S K U F V G X Y L D U O X C S T H W S
A T R M P N L R K B R R U M D C K P S D N S R R S V K
R C W N A E E L H R R A R L K D T C E T E X R O I M N
S H M P O A R C R V T T R L R B V V T N A B N H L T S
R D M K D I N A Y O Z T Y F R J O Y I V Z T K S G L E
V O G I B E T E P R U I B O Q T L D F K T T E Z N K Y
C G L N R Z R A G P L N W L E T R X W R R R T S E K E
J Y D F I C E E N D E G D D M U F L L Q C L R N V P D
W P Q T Z T I R N I U A C F T P M A S T I F F C L O N
K M N K M W R J Z N M J R S E X L K J R Q R O M L P U
T K L Y N K R O K X A R S A W E R J N C R A M M H U O
X H K K R K E C P Z V M E R N T T N M L C V V C X L R
D L B M O B T R R S B J L T E C R K G H T K W C H A E
J W V F B H N P G K N V X L E P E R M N M K N N W R G
N W Q M B N O X T K R O K T E D O E T R R Z M T V T R
G K K V U M T D P T K R N R T W N O E L B F D N K N A
L K D Y T B S Q F H N Q R M N N P V H B A R K I N G L
Z K D Y S F O Y T L N B Q T M M E H P N M X L M V R L
N G C M Y R B Y T X W Y P X T L I U B T C A P M O C L
F I N E C O A T L R H C X C C X R T G K F T P K K T J
```

ABRUPT BROW	DEVOTED	RATTING
BARKING	ENGLISH TERRIER	ROUNDHEADS
BOSTON	ERECT EARS	SENSITIVE
BOSTON TERRIER	FINE COAT	SHORT BACKED
BULLDOG	FRENCH BULLDOG	SMALL ROUND FEET
CLEAN CUT	HOOPERS JUDGE	SQUARE SKULL
CLEVER	LARGE ROUND EYES	STRENGTH
COACHMEN	LEARNS READILY	STUBBORN
COMPACT BUILT	MASTIFF	STURDINESS
COMPANION	NON SPORTING	UNITED STATES
DAPPER APPEARANCE	PLAYFUL	WATCHDOG
DETERMINATION	POPULAR	WELL MANNERED

BULLDOG

```
X R V K L M V R T E L Z Z U M D A O R B T R O H S W V
T C C Y X H O N C M J L M Y M Z P K R J O V I A L T L
N L L T G B Z U G L T T W R I N K L E S Z B K N K D X
L O J P L M W M N N T R N Y L D N E I R F X C B B S D
G W I N M V Q G J T I G K W N Z N L K W R C K R T S H
O N V N D Y Y R N M A M L E L I C O D N K N G U H B J
D I P Z A L L K M W N I M T Q R Q L T R G B B U R P E
L S W H A P T N V Z M G N I T I A B L L U B F G T N M
L H M G M K M M J K Q D R D W N K R Z P O F G E G T E
U P A C I V B O Z H P P Q B O S H Y R R L K T L I S R
B E S N A B K T C J T Q T K N G O W N I K A A A T G O
H R T E B U H H R Z L B L M S R C N N R N N G U N T N
S S I R L P N N O N S P O R T I N G D O D G R I Q G S
I O F D E Z N D L T J S E R P T W N I N N D S Q S O D
L N F L J D T K E K M L R G O A H T C I Y A R G W D B
G A T I L Z T Q C R O U U E L U C V L N E Y R Y A L R
N L Y H T L B D V O S M S K D E N L C L N Z R L J L O
E I R C L C K W R C R H N C F L O D P L L T N T E U A
C T P S V P O D T U C J O F U R U Y E P H T D M D B D
M Y N E V W Y M O W R Q A T R L H O R D C G Q T I M H
H J B V L G H S I D Y N Y K B D A M H J R K T T W J E
T K N O T M X N P C T R T J X I Y R M S W I M Y W F A
L G H L L L J Q G B A W F V T X T R M W E O B N X L D
L V Q R P Z T Q M J L L N Y N N W E L C D D L S R D Z
M L V X W W F I N E G L O S S Y C O A T X T I L C Z H
V M G K J J P F W N L D C H K H H H L Y L R L W E P D
N Q L N W K N D L I V E S T O C K D O G M P V L R M H
```

AFFECTIONATE	FINE GLOSSY COAT	ROLLING GAIT
AMIABLE	FRIENDLY	ROUNDED RIBS
BROAD HEAD	JOVIAL	SHORT BROAD MUZZLE
BULL BAITING	LIVESTOCK DOG	SHUFFLING WALK
BULLDOG	LOVES CHILDREN	SNORE
CLOWNISH PERSONALITY	MASTIFF	SOURMUG
COMICAL	MELLOW	STUBBORN
COMPANION	MOUNTAIN DOG	STURDY
DOCILE	MUSCULAR	UNDERSHOT BITE
DROOLERS	NON SPORTING	WIDE JAWS
ENGLAND	NO SWIMMING	WIDE SHOULDERS
ENGLISH BULLDOG	PLEASING	WRINKLES

CHINESE SHAR PEI

```
K Z G H X V C T Z Y L K S A N D Y C O A T N Z K R Q B
M M M E R C G G T T N L W R Y H Y S G O D T S E R A R
M P N V M O B C K C I V N N D R F L E V D C N L Z R F
G L C I T M D K N V K R R R D V M C V R B H I B Q P W
G N I T C P T W K L S D M M L K W B S R I A Y Z X R T
Q P E C O A C L C X E M H Y Z I Z M P P T O L T R N Z
L E P E M N N P N H S X M T L D A L P D G N U V D J K
T A R T P I B D Q L O D D D N L N O E T N C N S J N T
I S A O A O N L K J O T B L L O P L L R I Z B R M P P
N A H R C N K K U T L O V C R O R A F B T N J Z T X N
D N S P T X W X L E A M L R T U R T G P N K L W C L Q
E T S R P L R T N R B O K A C G N O H C U R M G W T P
P F E M T L T A H M S L M X E G D R N E H K O M N C S
E A S R K T K U L E H U A H M H Q F C W R D R N H S R
N R E S M M N N E U S K E C C K K V N J K N A I T T A
D M N Z E T Y A O M P A T T K N D C G C L I N U N S E
E E I K E Y R M U N D O A J V T L E O N D A B T E M R
N R H R F S E Z N M S W P N K C O T T R I B J L N G A
T S C N K C Z N Q W M P T P K Q S N A O O D K B J K L
V R N C N L N J E H R N O C M E C U G R V N R K P M U
J F K M E M P M N K N M T R V V G J N U I E L E Q D G
W T R G P T F Z N N N X N I T B W R X R E T D B H V N
G N I T H G I F G O D U L Q Z I Z W W R P M V T N V A
V W J R R T K R J L X W S M O U N T A I N D O G Z C I
R C Q H A N D Y N A S T Y B G K W G H M D P G V N B R
M S E L F A S S U R E D Y F K R P B C C Q X Z F Y K T
Q M D E S S E S S O P F L E S G T A O C Y L T S I R B
```

BLUE BLACK TONGUE	HIPPOPOTAMUS MUZZLE	RAREST DOG
BRISTLY COAT	HUNTING	SANDY COAT
CHINA	INDEPENDENT	SELF ASSURED
CHINESES SHAR PEI	LARGE HEAD	SELF POSSESSED
COMPACT	LIVESTOCK DOG	SERIOUS
COMPANION	LOOSE SKIN	SMALL CLOSE EARS
CURLED TAIL	MOUNTAIN DOG	STUBBORN
DEVOTED	NON SPORTING	SUNKEN EYES
DOG FIGHTING	NORTHERN	TRIANGULAR EARS
GUARDIAN	PEASANT FARMERS	WATCH DOG
HAN DYNASTY	POPULAR	WILD BOAR HUNTER
HERDING	PROTECTIVE	WRINKLES

CHOW CHOW

```
B B M H R R D E V O T E D N C N G X T M N N P Q Y P G
J M L M Y F T R M M L M N U L F O O D S O U R C E S L
D Y K U K T V R N W T G R C U R L E D T A I L D C T R
I T T D E V L R I M A I V N A I D R A U G P G N F A K
G A M T P B N V X A O T K M R C J V M M L X O C Z O Y
N K I M T R L V M S N A C G N N F Q R F J T D Z T C R
I L M R W W M A S B N G M H N Y N T C H R K G M K H W
F Y T B O K Q T C C C R U N D L D F T M V N N B D G L
I T G N V T L M I K L O E L B O M R T N C I I K R U Z
E R J X E E C E Y C T K M L A P G N U V X C T K V O N
D H B P P D N I I L Q O T P L R C C T T P K N W R R C
E F R R R T N T V D T E N W A U E Y N L S K U Y M H R
X N U Z T P E E P N E J N G N N P A W H R N H G N T N
P F B I Q L Q O P F E D F C U H I T R L L A T N J O M
R X M Y H T W R D E S E Q Z T E F O R S F C M I L O H
E E Q T Z E M N G E D Z U X R D T P N A M K N T J M G
S W A K R Z U T R R T N H Q N M Q N Z R C Y R R H S K
S N C F R O J I V I E M I V L V K O O L E L B O N N H
I H U D R V O Q P V T W K H C P B G M Q R L B P N R M
O L W C T U F S I K H N O R T H E R N P A P C S Y O H
N N O G S K B T D E I F I N G I D O Z C L L W N M B G
R V H G Y Z C N G R C T L T V J H O R H U Q Z O N B G
B M C N P E D N M K J N P X H Z X M C I C X B N R U R
T N H J T N Q R X N X K M B V L N I X N S F M J R T F
W K H O B M K F M Z P N B K L T M N N A U T N Z N S P
W B R O A D F L A T S K U L L M R G L Y M Q T T N K D
P P K T V G N C Z Q R R M G T L I U B Y L E R A U Q S
```

ANCIENT TIMES
ATHLETIC
BLUE BLACK TONGUE
BROAD FLAT SKULL
CART PULLER
CHINA
CHOW
COMPANION
CURIOS
CURLED TAIL
DEVOTED
DIGNIFIED

DIGNIFIED EXPRESSION
FOOD SOURCE
FUR PELTS
GROOMING
GUARDIAN
HUNTING DOG
INDEPENDENT
KNICK KNACK
MUSCULAR
NOBLE LOOK
NON SPORTING
NORTHERN

POWERFUL
PROTECTIVE
QUEEN VICTORIA
ROUND FEET
SERIOUS
SMOOTH ROUGH COATS
SPITZ
SQUARELY BUILT
STUBBORN
STURDY
TRIANGULAR EARS
WATCHDOG

DALMATION

```
Q J M R N R S H E N G L A N D H I G H S O C I E T Y
Q Q R E K Q X E R E V E I R T E R Q W K L H P P J H
M L D L Q C G T Y Y N C O A C H D O G N F B F N V R
R N F I Z J Q L U E H H Q W P A T T E R N E D X G K
C J L A G H V G R D D R N G Y W A R D O G M N G J X
C L N R L L O G P C H N E F F O R T L E S S G A I T
Z T T T J S E M O I J X U F M S A I S U H T N E H N
J X Z Z L T M K I T N G N O N Q X R G R F W M T D C
C B X A I L K K N E T G F T R L A Q L T R W B Z K T
B F V C C J R X T L L T K N N T R R D T R J L Y N W
L I I S W S R K E H S E M I T T N E I C N A E D W N
A H N R C A E M R T P V N E K T W W C V N T X B C G
C Y G Z E E T N L A X W R N L L U K S T A L F Q O E
K Q K S F E N C T V L P J A T M X G Q N K R T D P S
O Y C L W L N T H I P U D J H R R K O P R Q S A R I
R T G E B N N G H D N G F T Y J R I T Z N U I G T C
L D V E H Y B D I O O E O Y W X T F B O C T H E L R
I N R K D N M Y T N U G L D A C Y T N R A X C M J E
V O M C R O K H Z Z E N T F E L L S I M F N V Q K X
E I F O A I T L M C N S D F G G P C L W A Z N Y P E
R N I A F T H M L Z W L F D R O A A N R K F D C T S
S A R T T A W L B V L A J T R Q D I U P X P K P P D
P P E Q D M D V G W N X J T B W P D R Q M M R P L E
O M D P O L K R T M J T I B C Z N Y R R B R L D Z E
T O O X G A G R P Y D N X K R E G M L I A T M W L N
S C G Y N D N K G M G B P C B R J T R J B C P L P R
```

AFFECTIONATE	DRAFT DOG	PLAYFUL
ANCIENT TIMES	EFFORTLESS GAIT	POINTER
ATHLETIC	ENDURANCE	RATTER
BIRD DOG	ENERGETIC	RETRIEVER
BLACK OR LIVER SPOTS	ENGLAND HIGH SOCIETY	ROUND EYES
CARRIAGE DOG	ENTHUSIASM	SCENTHOUND
CIRCUS DOG	FIRE DOG	SENTINEL
COACH DOG	FIRE ENGINES	SLEEK COAT
COMPANION	FLAT SKULL	TRAILER
DAL	NEEDS EXERCISE	WAR DOG
DALMATIA	NON SPORTING	WATCHDOG
DALMATION	PATTERNED	YUGOSLAVIA

FINNISH SPITZ

```
W W H R D N A L G N E B P F D C D A E H E K I L X O F
K K Y N M W T D N A L N I F F O G O D T A N X T C J R
X N T K T H X D O U B L E O I L Y C O A T M G J T V N
J Q K P K T T N G X N E R D L I H C S E V O L P X T O
E T L L L N H L Z T F Z F Q T E N E R G E T I C Q M N
L Z Y Z B K M T Z F Z D R M S L A M M A M L L A M S S
L T N W A L G J B F M G G M P V G R S D V R I G R F P
I I K M R T H U N T I N G C Y N P G G K R N F E T R O
A P S V K A P C W M J B D R I Y O B H J Q I K V W P R
C S R E I V F K A X K C A K Q D D R C U N R L N Y H T
R H A V N R R B A M T Z R F Z J J F I K A J R L U Q I
E S E I G O P D N D P A J T F M M S I B P E Y N F R N
P I T T B K L K C L B F I R V E I E G N T T T L O X G
A N C I I Y S P I Q U P O R M T C N X H L I L U Z M L
C N E S R T T M E N S F M L I E I T R N N A N T H R N
C I R N D S U S N N D Q Y V L K S O I G M D N Q F M T
L F E E D Y B K T K D E E A H O N U B O F Q B D H Q G
E R T S O P B R T E W C P R L L W I O E N M R W F Q T
A V E B G N O D I M P R T E M P R E E R Z A H B R V D
N P S L M E R K M C H S K T N D H T R L G D T N W N T
B T H M Y M N R E F P T K P S D V F Z S Z K Y E B D M
R T G V K O H C S M Q M L S P T E H G W A T C H D O G
E N I L T U T L X D Q N Q Y N L M N J T D D C A F J F
E X H T C S M M Z X Q B K J Y I M H T Q T M N F L J B
D L T Q H T M H N R W Y R Q Q R F K L J C T R B Z B V
R M C N L G K G O L D E N R E D C O A T Y F V K H T G
R K R M F T C O C K E A R E D D O G T M K R V Q C V W
```

AFFECTIONATE	FINKIE	LOVES CHILDREN
ANCIENT TIMES	FINLAND	NAT DOG OF FINLAND
BARKING	FINNISH SPITZ	NON SPORTING
BARKING BIRD DOG	FINSK SPETS	NORHTERN
BLACK GROUSE	FOXLIKE HEAD	N SPITZ DOGS
CAMP FOLLOWERS	GOLDEN RED COAT	PLAYFUL
CAPER CAILLE	HIGH SET ERECT EARS	ROUND FEET
CLEAN BREED	HUNTING	SENSITIVE
COCK EARED DOG	HUNTING BIRDS	SMALL MAMMALS
DOUBLE OILY COAT	INDEPENDENT	STUBBORN
ENERGETIC	INQUISITIVE	SUOMENPYSTYKORVA
ENGLAND	KING BARKER	WATCH DOG

FRENCH BULLDOG

```
F Y R Q D A E H E R A U Q S E G R A L N M D R K T
M P D K Q C K R V W M P B T P H Z K K B R F K H K
T R M O D Z R Q F C L B Q R P L L U F Y A L P K T
S M G A B A E S A E L P O T S T N A W K B X K R Y
O G N H H E E J Y R V N A W L A C E W O R K E R S
L O I I Q G D H M U S C U L A R B U I L D N P W W
I D N G J V N I E R M K W S E R G C N X O C W B S
D L I H M F K I W R B W R L E R R T Y I L R O X G
L L A S J K R X T C A A L L X O T K N O I U S O O
A U T O R F G E W T E U B L U T Y A W N L U D N D
P B R C R T Z J N T O A Q N Q R P N K E O P E O L
D H E I T N J Z C C I N D S H M I L D I A M N N L
O C T E T N Q E T M H E M L O S E O R L J R O S U
G N N T N M R L A M Y I V C H S G U N H M R B P B
J E E Y M E T F C E F T E S H U C R L T V F Y O Y
X R Q K Q Y F K S L G R R B E D H Y M X F D V R O
W F S N D N A L G N E J A F T L S W E E T R A T T
D B W N K L R N H G F Y R N L N D Q N K Z O E I C
H R Z X O M X B P R G A B H C R X D V M J O H N M
N B Y Y D R H H K K N X L T P E X D U T X L J G K
P N P D J H E M G C J B A T E A R S K C R S K W W
F C P R L K G S A J H G O D H C T A W W B F K Q W
F T K A F X W I Z D P M R B P L R Y X Z M C J R R
K G F H M N S K L V K T Z N T Q W M M R M F J J G
L K G P Y T G N T T K P V B V N M A S T I F F R K
```

ALERT	FRANCE	NOTTINGHAM
AMIABLE	FRENCH BULLDOG	PLAYFUL
BAT EARS	FRENCHIE	ROUND EYES
BOULEDOGUE FRANCAIS	HARDY	SNORES
CLOWNISH	HEAVY BONE	SOLID LAPDOG
COMPANION	HIGH SOCIETY	SQUARE HEAD
CUDDLES	LACE WORKERS	SWEET
CURIOUS	LAPDOG	TOY BULLDOGS
DROOLS	LARGE SQUARE HEAD	WANTS TO PLEASE
ENGLAND	MASTIFF	WATCH DOG
ENTERTAINING	MUSCULAR BUILD	WIDE BODY
ERECT EARS	NON SPORTING	WRINKLES

KEESHOND

```
L K M L V M T Y L I D A E R S N R A E L T X X T M Y H
Z E R X O R H I N E R I V E R L R K X Q P Q X Y N E R
L O T D F V N O N S P O R T I N G N M A N N N D K L S
J R R M O P E X T T E E F D N U O R T H G Y W M R P E
S B V W L U N S Z N M L M N H C H R P J G R K M V O Y
P N P C T Q B E C X Y Q P A R L I T L N Q Y K F N E E
E E R Y N H K L D H Y B F L L O H N X T F T H Q H P D
C D G V N L E E E N I M N L T Y M T K M W L N Y P E E
T R W O M B C N E C O L Y O L A T T E N T I V E C H P
A A R A D N J H E S O H D H T O W H L H N D C M F T A
C H K L C Y Q M X T D A S R X C V W N W N Y B X J F H
L N T E L C L D K X H E T E E T R I T J X X A K T O S
E A R R V P Y I D H Z E G L E N R W N Z R G R P J G D
S V I T A P M R M T R N R Y T K R C T G B K G V W O N
V S A E L B L M I A N Z K L S P T L L V K Q E V V D O
A S N X L D L P M H F C M C A E Y J C H N V D N H M M
D E G P P N S U P G N N I K U N L K L G K G O T P Y L
V N U R U O R H F B H T M M R R D A D J O R G V L T A
E O L E R H X G T Y E C S R V C L S E D M R L D K W Z
N R A S P S Z N N G A E L F O Z F E H R P J N X Q L Z
T A R S O E P J R L N L M M F N F C D M W E L L K V R
U B E I S E Q E P S Z V P K X N T Z N T I Z M Q E N C
R T A O E K N G I Z F A N V B A M T N R A F R V E W V
O J R N D E W T H L N K R N W T C M F T P I T Z S R X
U D S K O L I Q V I K R T L G N Z T I P S F L O W C X
S D B T G V K H O P X D N A L L O H F O G O D T A N L
V H C T E K J N P T M H Z F M N R N O R T H E R N K J
```

ADVENTUROUS	FAMILY DOG	NORTHERN
ALERT EXPRESSION	FRIENDLY	PATRIOT
ALL PURPOSE DOG	HOLLAND	PLAYFUL
ALMOND SHAPED EYES	KEES	RHINE RIVER
ATTENTIVE	KEES DE GYSELAER	ROUND FEET
BARGE DOG	KEESHOND	SENSITIVE
BARONESS VAN HARDENBROEK	KEESHONDEN	SPECTACLES
COMPANION	LEARNS READILY	SPITZ
CURLED TAIL	LOVES CHILDREN	THE NETHERLANDS
DOG OF THE PEOPLE	LOVING	TRIANGULAR EARS
DOUBLE COAT	NAT DOG OF HOLLAND	WATCH DOG
ENERGETIC	NON SPORTING	WOLF SPITZ

LHASA APSO

```
G A T H L E T I C F E A T H E R E D E A R S Z V Z M Y
W C T T E B I T F O S E I R E T S A N O M V R J W Z H
T P C J T A O C G N O L D R A H F L Z X T G T H M L T
T G N I T R O P S N O N C L V R R B N N Q R P I L P N
N L B H Z T F M X Z B O L D I N T N F N B Y G U B K N
E R W R C Y Q N T N P D Q E W H N O V M V O K L W E Y
D L X H T G T P O T A Q N V L R M I Z B D S H A J B T
N C N D I K R I V L N D R V W G N T D L W S B N T W Q
E K G J P S N R A Y L N X D R M H A E O N U Y C C M D
P P C R G A K I Q Y W H R T Q W T N R K W O N I H K Z
E G M H P T L E S Z E G N L A L I R Y T L R Z E D P J
D W O M L A G E R A P S O T T T A A M M F U H N W B N
N D O A M V L S V S X Z C Y N N R C K P A T Y T Q Q W
I C Z A T D Z Y F N M H M E G F K N G L M N L T D N C
D H B K D L C X R E D K S J V F B I P O I E H I L D M
T T R U K O I O R O I N N T J Y B E R S L V T M H L T
T E C H A O B K G A O L P M M R K R W P Y D G E A K G
P E W T C B O M E I L N E Y P K Y R Y A O A T S S V R
M F J N U G T L L C E U K B G J R N W A R W R R S B O
L D V T L F G K E L O N P R T B Q K T S I P T W A T O
M N S K K T R D P K V A E O R S Q M M A E B G F T D M
B U T M M A P F E G I N T R P Z I G G H N L D G E Z I
B O M J B F G P W T L L B L G N L H K L T W B M R N N
E R W C Q G Q J N M O D N W P E C W D B E R K H R M G
A N I O L G N O R T S V J O R R T F H D D V N H I R D
R L F H E R D I N G W R E Q I D G I X N U L Z W E J V
D T K C H K T R V J V T Q D R L D V C X K B V W R Q N
```

ADVENTUROUS	FAMILY ORIENTED	MONASTERIES OF TIBET
ANCIENT TIMES	FEATHERED EARS	NARROW SKULL
ATHLETIC	FRIENDLY	NON SPORTING
BARK LION SENTINEL DOG	GOATLIKE COAT	POPULAR
BEARD	GROOMING	RAPSO
BOLD	HARD LONG COAT	REINCARNATION
BUDDHIST BELIEFS	HEAVY COAT	ROUND FEET
COMPANION	HERDING	STRONG LOIN
CUDDLES	INDEPENDENT	STUBBORN
DALAI LAMA	LHASA APSO	TIBET
DEVOTED	LHASSA TERRIER	WATCH DOG
ENERGETIC	LIONLIKE LOOK	WHISKERS

LOWCHEN

```
K G X P T J Q B N F Y K Q H Q B N N T L D R C N T
R G M C R R T N E Y X N V Q Z F B I R G I D M P B
A C I M X Y V K H B H F R E R Y A G T M I V T B L
B T R Z P Z M K C N F P V M L G L N M G H D E X T
Y T T L T M K B W T N I K I S G S U N M K Y Y L M
A F N V J M Z T O Q S E M S E H M I F W B D K A Y
M G O B K L K F L N N A E R O D T L G Y T L G R M
N T I L M N N Q O E F L M R N R J T Q T A K T Y N
B R L H M Q R P R N T A T C O W D C C D P L R L O
F V L H G X S G O R N M G P A E A Y Z A R K P L I
J Y O P L E E H O Y U N S L V L X T P K P Z X F L
K G V W R T C F L Z K N B O E F M T E T Y M L T N
V R I P I I F G Z N O T T L Q V Z S J R D P O Q E
H O N C B E F L T N R E T T G D E W O R D J Y C I
S O G M G Y E R R E D Y R V K T J L Z U Z O T L H
R M G O D N O I L E L T T I L R L F T H L Z G C C
A I L P Q P L A R R T M D M M K J R J O K M B V T
E N L L C O M P A N I O N W K N Q A P W P L A B I
T G R E T N F G H Y L D N E I R F N B F C L W T T
N F J A B J C W T N D F K T Y V D C V Z Y T I M E
A D V S Q X K C K B R I G H T K N E H M X H M N P
D F B I N K H K Z K F Z E T A N O I T C E F F A E
N K P N T C F O R W A R D L O O K I N G E Y E S L
E W T G G R P D N L K L T B C D E N S E C O A T G
P T D K I N Q U I S I T I V E L L R R L J Y X F V
```

AFFECTIONATE
ALERT
BICHON FAMILY
BRIGHT
CALM SOUL MATE
COMPACT
COMPANION
DENSE COAT
DEVOTED
EFFORTLESS GAIT
ENERGETIC

FORWARD LOOKING EYES
FRANCE
FRIENDLY
GERMANY
GROOMING
INQUISITIVE
LE PETIT CHIEN LION
LEVEL TOPLINE
LION TRIM
LITTLE LION DOG
LIVELY

LOVING
LOWCHEN
MAY BARK
MAY DIG
NON SPORTING
PENDANT EARS
PLAYFUL
PLEASING
RESPONSIVE
SHORT MUZZLE
WATER DOG

POODLE

```
N P W M F L M R L B R D R A N A C N E I H C H M R G C
T U M M X L P U O R G G N I T R O P S N O N V K N P L
F D Z X L B C D Z M Z P H B G B C G T R D T D I M M K
R D C I T E G R E N E J M Z G N Q N D R J K V Q K L S
H L N L Z R Q C Q Q B A R B E T A L A L W E Q R T M N
F E A L D K C O L M B Q T M H F W D L P I H Q N A K X
W P T O K Y V M X L Z F N R F M N W F R M J Y R Q L D
T M I V B P L P N J P O P U L A R F T V B J T K I M X
X M O E G N E A N B X R O L T K T E G W P O T A Q J G
K W N S T J T N M X Y B F S N K R C A U B F T N T R W
W C A C V R A I Q F T G D Z K R L T A E N D U O G A K
D G L H T R N O L Y N A M R E G E U D N E D S D T Z T
S O D I B K O N R Y X C E T R R H I F K I P O C E N C
R D O L T C I L R T Q K A L D K E G C Y L C H G Y L N
E E G D R N T M A E T W E O Z N X O N A A D H L N D L
T D O R X M C L K M L Y G P T Z D K S P O L D E M C N
N I F E R Z E R B X I L Y M O Z U H L G V N P R P M F
U U F N E G F P Y R N A U X M R F M P L E B T F H R L
H G R R M Q F J P W B B B P Y N U N D I X G F K X F C
S Y A M R H A G W M H J E L N J F E R E G B M D L M B
R R N D O C J R T K N T L M E O J F L M L H J L C K B
E A C K F L K O L K L N D Q G V G K H A Y E B X X D Z
M T E M R M T O X M G J O M I N I A T U R E S L H G T
M I C M E R X M R X C V O R X B V Z W D T T W I V N Y
I L K P P F N I W M N L P F K Q V G X V R Y N N H Z V
W I F R D R C N X L X B Q L R N E V I T I S N E S C F
S M M J M B P G N W R T M B A R B O N E B G C K C L Z
```

AFFECTIONATE	FRIENDLY	POODLE
AMIABLE	GERMANY	POPULAR
BARBET	GROOMING	PUDDLE
BARBONE	GUN DOG	SENSITIVE
BOUFFANT	LOVES CHILDREN	SMART OBEDIENT
CANICHE	MILITARY GUIDE DOG	STANDARD
CENTRAL EUROPE	MINIATURE	SWIMMERS HUNTERS
CHIEN CANARD	NATIONAL DOG OF FRANCE	TO SPLASH
CHISELED MUZZLE	NON SPORTING GROUP	WAGON PULLER
COMPANION	PERFORMER	WATCH DOG
DOCKED TAIL	PFUDEL	WATER DOG
ENERGETIC	PLAYFUL	WATER RETRIEVING

SCHIPPERKE

```
Y N T K K T N H K B G Q B M W T Y F G Q J N R G K
S R A R R K V Q E N E T W Z G N N W K N B N R M N
R Y B M N Z V Z I A Z L F A R O G K A K D W L H A
A N E K T G C T M P D L G E T M D D C L P J T D T
E R F S X A R K B G I S H I M C V P K F M P Y Q I
R C R M I O O V P A L T T L U E H K E F W D C G O
A T I S P C B B T R R N R R N M R D B E X M H M N
L L E S M F R D E O J A R T O M L K O H H T R B A
U Z N L J A E E N L F M U W K N K G L G G S C R L
G O D K J K L R X F T R M H G K G B J P T G M U D
N T L M C N A L E E O T E V I T C E T O R P K S O
A N Y O N T O C E U S H I R Z E R D P I H C S S G
I G D C T Y T L S Y N D V L B K R C W S R T Q E O
R H J E A I C D R F E Q E F J R M V P R F A N L F
T H R L O H V K L C W S J E M E Z H N A Q O M S B
R E T N U H N I M R E V T L N P N L Q L K C D H E
H B A B M W K Q X P P L K F N P L R K L K E Z O L
Y T D A E N E R G E T I C K V I T R H O B L T E G
E L L R V K T R Z G T L D K Y H L T F C C B I M I
C C C G E L B A I M A L F L Z C B P L S L U P A U
Z Z V E B L A C K C O A T D R S L T M S K O S K M
Z N D D M G V P X B Y F R Y R H K T W A W D B E B
R W K O T C Q C O M P A N I O N Y Y G R F L K R Q
L B G G J M T D F O X L I K E F A C E B M G J S B
K T V T T K Q I N D E P E N D E N T T J F T Q K L
```

ADVENTUROUS	DOUBLE COAT	NORTHERN
AFFECTIONATE	ENERGETIC	PROTECTIVE
AMIABLE	FOXLIKE FACE	RATTER
BARGE DOG	FRIENDLY	SCHIP
BELGIUM	HEADSTRONG	SCHIPPERKE
BLACK COAT	INDEPENDENT	SHEEPDOG
BOLD	LITTLE BOATMAN	SMALL EYES
BRASS COLLARS	LOYAL	SPITZ
BRUSSEL SHOEMAKERS	NATIONAL DOG OF BELGIUM	TRIANGULAR EARS
COMPANION	NEEDS EXERCISE	VERMIN HUNTER
DOCKED TAIL	NON SPORTING	WATCH DOG

SHIBA INU

```
G L X K T B V T I A G S S E L T R O F F E Z K T C Y W
M X D L O B W L T R L M K L Y A V V V Y Q R H G X D L
S H I N S H U S H I B A G Y O R L M M L N L B G Y P B
N R Z J L Q F J P M M Z L B M Y C L Q N C C T Y K D M
S T G J N L H A J F D M D X L L Z C L X B C J J C A T
E X D C R V L P B R N L R D L R J D N D Q U D Y N J K
Y G W G W O H A T V I M N L L N K V I C R R N C M T E
E J Y N M C G N B W L E F R Q L V S N T K L I M F D G
D P N I P A G O T G I N R V P C T R T P B E L B T H A
E F V T F L J N D R N O R T H E R N F R N D R T G N T
P G N R R G U N F D U B W Q M T E J U T C T S F F R I
A N V O N H O F L N O K S P L D N S T W L A A Z R L R
H O D P X P K D D R J O E R I Q H I M W L I N C Z M E
S R T S W V R F D W V R W F A W M F H V B L I G L Q H
D T Q N W V E O R O M V N H O E C K V N C M N O G C Z
N S N O A E Y H T D O O T O S U R O C T H X S D D H T
O D K N T L V R P E C W D N N U C A M C Q N H H J X I
M A V R E Q E C H F C T H I E M R T L P Z V I C T F P
L E R L L R C R L K R T A S K D I B V U A B B T R K S
A H I C R X T E T E J B I H U G N N E G G N A A F K Q
P G M Q R D S N E K I L H V N R D E O L W N I W K Z X
A Z R X B Y M S N H J F G M E X B K P S T N A O R F R
B Q N Z N E E D S E X E R C I S E X Y E H T G I N B J
X F V J J N T W D A E H E K I L X O F K D I I Z R F P
X E M A G L L A M S G N I S U L F D P J M N B L R T L
H N R H L F V K A F F E C T I O N A T E M R I A J C X
X T Y A D V E N T U R O U S G N I T N U H X J Q Q W N
```

ADVENTUROUS	EFFORTLESS GAIT	NON SPORTING
AFFECTIONATE	FLUSING SMALL GAME	NORTHERN
AGILE	FOXLIKE HEAD	PROTECTIVE
ALERT	FRIENDLY	ROUND FEET
ALMOND SHAPED EYES	HEADSTRONG	SANIN SHIBA
ANCIENT TIMES	HUNTING	SELF CONFIDENT
BOLD	HUNT WILD BOAR	SHIBA INU
BRUSHWOOD DOG	INDEPENDENT	SHINSHU SHIBA
BRUSHWOOD TREES	JAPAN	SPITZ HERITAGE
COMPANION	LITTLE BRUSHWOOD DOG	TRIANGULAR EARS
CURLED TAIL	MINO SHIBA	VOCAL
DISTEMPER	NEEDS EXERCISE	WATCH DOG

TIBETAN SPANIEL

```
F Z Y S G X N D L D L O B D L A F N G N Z C K J
P R N L E T T M P Z R V T Y N T M Y T N W J K I
R G O K D Y L J Q L G V X Z C R H I K V P R N T
N Z I L H N E B T K N V T K Z Y O R A L W D M Z
J B S D T N E L N L I F N Y B C L B U B E W L Z
R V S O I X L I A B T J N T P G O M B P L E V N
C V E U B X Y F R V R M M Q K R E M E U I E T M
G E R B B G L C Y F O K R V Y D A N P N T H I T
V V P L Y N B D H K P G F L T H D Y A A F S B X
E I X E L I Z V G V S A V A G E L P E T N N E M
L T E C N M T V B T N N I L N K S E P R L I T M
Z I E O C O R Z T C O L U T L N D G Z P D H O Q
Z S K A B O B R I C N F Z X A U K F B T R O N N
U N I T K R M E L Z Y S S T T Z B R K P G X G D
M E L H T G N Q K A R A E I Q R L D N K F N R S
T S E M N T F N L A C B T E N J O Y S G A M E S
N T P Q T N F P E R I T Q Z B R K L X B R Z R N
U M A I J K H T E T A T P L P B R V L C P L R Z
L R M N P X N D K Y H E R D I N G M D F Y L Z R
B E T N R A D Q P B L R F W G Q G O D H C T A W
S F D K D O X P U N D E R S H O T B I T E J T M
F D M N G F A V L Y T I A G K C I U Q Q N T R K
P C E K F H L T W Y G R L T E E F E R A H G C N
M P B U D D H I S T B E L I E F S M R B N R P W
```

AMIABLE
ANCIENT TIMES
APELIKE EXPRESSION
BLUNT MUZZLE
BOLD
BUDDHIST BELIEFS
COMPANION
DOUBLE COAT
ENJOYS GAMES
FRIENDLY

GROOMING
HAPPY ATTITUDE
HARE FEET
HERDING
INDEPENDENT
NON SPORTING
OVAL EYES
PENDANT EARS
PLAYFUL
PLUMED TAIL

PRAYER DOGS
QUICK GAIT
SACRED DOG
SENSITIVE
STUBBORN
TIBBY
TIBET
TIBETAN SPANIEL
UNDERSHOT BITE
WATCH DOG

TIBETAN TERRIER

```
T N S R E R O L P X E N D E T N E I R O Y L I M A F N
C R R W T Y L S Q U A R E P R O P O R T I O N E D W F
M L T Z R K M P D L I U B L U F R E W O P R T K Z M F
T K O X D B O A L L P U R P O S E D O G D T V L D Y X
Q E R S V N N D Q R N V K V M W Q M P L B K T V T K P
F T L J T N K N X L F B T V D H O K H I A P S O D C L
K H L B Q V S L L X M N W R Z M T M X K M R L F T O T
K M H G A K A B R G M D T Y W D N L Q X Q X Y Y V C Q
W X Z C Y V M L V Z G Q N B N D Q V V P T W B E A G P
X R V Y T M O A L L C O L O R S C O A T Q B S P V S N
V X J D K K W L C E H T D G L W N G J K I Q M K E O V
N O I N A P M O C H Y Z N H K W N V K T U O B N N G P
T P J C Q G N G J G N I F C C F Q G K I C L S S C T T
S I C D R Q R F D L M N U D T T T R E K R I P P Q T H
G N B N E W R R J O G L O S J T A T Y D T O A T C E X
O S L E C V J R O B D U R M D G T W N I R D D E M E J
D E D J T N O R H O B E H X T I T M V T Z Q V E Q F H
Y M R T R J G T O L G G H R M A G E I D N Z E F P E A
L I A C H D H G E N H N N E R V O N R N R L N T T O M
O T G M H P T C I D L A L I V Z G C P N M Q T A R H I
H T R Z K M O R Z M L T M G D N V N G F Z P U L G S A
K N I V T A B L Z D B E Q L E R T Y Z N H L R F L W B
F E E V T K L Y F R M B Q J Q N E L C B O Z O E R O L
Y I G R C M N C M R R I N Y L P T H F J T L U G V N E
Y C G U X K D C N D C T D L Y C Y L G W N K S R T S Y
W N L Y X Z X H R G B Z X S R A E D E R E H T A E F K
H A L A M A I S T M O N A S T E R I E S Q R M L D V N
```

ADVENTUROUS
ALL COLORS COAT
ALL PURPOSE DOG
AMIABLE
ANCIENT TIMES
COMPACT
COMPANION
DEVOTED
DHOKHI APSO
DOUBLE COAT
DR A GRIEG
EXPLORERS

FAMILY ORIENTED
FEATHERED EARS
GENTLE
GOOD LUCK
GROOMING
HERDING
HOLY DOGS
LAMAIST MONASTERIES
LARGE FLAT FEET
LONG COAT
LOST VALLEY
LOVABLE

LOVES QUIET TIME
LUCK BRINGERS
MONKS
NON SPORTING
POWERFUL BUILD
SENSITIVE
SNOWSHOE FEET
SQUARE PROPORTIONED
TIBBY
TIBET
TIBETAN
WATCHDOG

The
Sporting
Group

AMERICAN COCKER SPANIEL

```
V W R L U F Y A L P P A R T I C O L O R L Y X G T T H M
P P Y V Q W W X G N I H S U L F D R I B K V N N N L F P
Q E V I T I S N E S T E E W S L P M Z J F C A F T K N G
F F C E A S I L Y T R A I N A B L E C C T R P A K M H T
Y B A R K I N G T D D A M L X V T B N X E Y X T X Z G N
D W W F L R K K T L S H S J G Z D N M L T F X H K X M P
R T R X H C Z M N A D L N C P F R Z O L N V M L T L N X
U I W P L O B O E N F H A P O L G T L E W R C E R F N L
T A V F F D E L L R C F T I K B D N E P E G M T Z N E W
S G B X T W V R M C R Z E W R L T D I V N T L I W I X I
T S L R K P I R N G Z Y W C O T E T I M X C K C N H H L
C S Q G M R T N W L U Z C C T X D S R K O H C A G U T L
A E N K C Z I N P K T N P O E I S L P H Y O P R N F Y I
P L M Y N R S D U G Y W D R C I O P E N J S R I N K R N
M T M D R T I H O N L J C O M K W N A I R H T G K A T G
O R N G E Y U Q R F S I Q B G X E M A E F E Z P L X D T
C O N W W T Q W G R S R U Z Q T I R K T D T Q U D Y T O
Q F P F Q N N M G E O S A L V A D C N S E G P O R D N P
K F K R N F I E N R R U N E B T O J T V N O C T T H A L
N E T R K F K Q I J J C N L T C L A Y F P K H T D E R E
M V N N C F Q Y T R L K E D N E T G L J E L E V Z N E A
W A T C H D O G R L O F L A F E S R Y D R V E W Z E L S
M T N K K N Z X O K T Y C R S E D W T Y M T R B R R O E
R Y K C D N Y T P V N I L J F L E A O R X K F R T G T T
R K A H V W N N S K R N L I G N I T M L G C U B Z E T Z
T L N G Z M J N L E F Z N R M L M G Z Q L Y L K K T A D
B N P P J F R J M Y N F T M K A T F K L F Y M G D I E L
C K X L L L L A K M L S I L K Y F L A T C O A T F C H L
```

AFFECTIONATE	EASILY TRAINABLE	OBO
AMERICAN COCKER SPANIEL	EFFORTLESS GAIT	PARTICOLOR
AMIABLE	ENERGETIC	PLAYFUL
ASCOB	FAMILY ORIENTED	POPULAR
ATHLETIC	FIELD TRIALS	ROUND FEET
BARKING	GROOMING	SILKY FLAT COAT
BIRD FLUSHING	GUN DOG	SPORTING GROUP
BLACK	HEAT TOLERANT	SUBMISSIVE
CHEERFUL	INQUISITIVE	SWEET SENSITIVE
COLD TOLERANT	LOW SET EARS	UNITED STATES
COMPACT STURDY	MERRY COCKER	WATCH DOG
DOCKED TAIL	NEED EXERCISE	WILLING TO PLEASE

AMERICAN WATER SPANIEL

```
G R T A O C F O O R P R E T A W N V C P P M B R B R R
N R H M T V L L G R E A T L A K E S L V L L P B B K K
I H K N M D K T T Z F T Y V L N R V Z B V A X D T T P
H Q T L W K E P T L O V E S W A T E R B P K Y L M T R
S C T B N K L V N H D T W B F F L B W C L P R F N N O
U T C C F F N T O M Y N P F N B O R P G Z D A X U F T
L J W G Z C B R Q T R K E N G Q O G W P K M W M Q L E
F L B K V P V X D N E C W U N N R Y U A E F Z K D R C
D E Y L D N E I R F T D N Q Q V D O C R T T D G W V T
R I B K P L Q Z K I G D T R L S R N I N V C N X P M I
I N C M L N J T O N O L T O N G L C O S J I H H K F V
B A L T R M N N I G Y M N N G N A A E I V D N D W K E
T P G L K P A M L G R G M N A N T N I E N M P H O M X
N S L V M T O Z N Q M N I G I R S T I R L A K L M G J
A R P W E O M I R U Q T N N R I E R I Q T N P Z V H N
R E V K R K K R Z F R W D F T Z T L Y M C D F M F N E
E T R G L R C Z T O D I K I H E K F O N I T L B O G E
L A O V A Q L F P L A W V R R Q H R R T B D M E C C D
O W I B H E K S L N Y E N W T G M L R E T J P B I K E
T N L G U D N B S F L K W N F R C L B R N A R N Z F X
D A Y Y N K E A S I L Y T R A I N A B L E I E P H D E
L C C N T W R W I W F O G O D E T A T S L R H H T L R
O I O K E P H Z G N I S A E L P R D P K L Y T W M L C
C R A C R K H H H P L E N E R G E T I C W V K R R M I
C E T H D R Z L S E T A T S D E T I N U H K J R C K S
N M Q G F A M I L Y O R I E N T E D M T T Z H V V T E
F A L E I N A P S R E T A W H S I R I V P H B T R M K
```

AFFECTIONATE	FIELD TRIALS	PLAYFUL
AMERICAN INDIANS	FRIENDLY	PLEASING
AMERICAN WATER SPANIEL	GREAT LAKES	PROTECTIVE
BARKING	GROOMING	RETRIEVING
BIRD FLUSHING	GUN DOG	SENSITIVE
COLD TOLERANT	HEAT TOLERANT	SPORTING GROUP
COMPANION	HUNTER	STATE DOG OF WI
DEVOTED	IRISH WATER SPANIEL	TIMID
DROOL	LONG MUZZLE	UNITED STATES
EASILY TRAINABLE	LOVES WATER	WATCH DOG
ENERGETIC	NEED EXERCISE	WATERPROOF COAT
FAMILY ORIENTED	OILY COAT	WHINE

BRITTANY

```
R M T F Z N Y C H L T Y N Z T V M W T B S R Z R K
R F M G Y N T I P D L R A L K V R P G R L H Z K T
L E R N K G X T Q G L F Y R X C N C E U N T W C F
R P L N R L N E N T F G N F M F I H C W N J B Q R
R C L B G N K L L E Z N A Z X N C U K M C D Q Y A
Z M W A A F F H C L Q R T N M A B W Q X N W O R N
S R G R Y N X T V R G B T R O V F C T M X P S G C
P G B X Z F I A D Z N Q I P N F N N R M O X R G E
Y R E L X O U A R Q V N R L Y M A K L I S T A V H
K Z T L N H T L R R H P B P Y R J R N E N T E W G
L T W A G U M T Z T M U U X E V K T N L E V R O O
G K T L O N X N C T Y O N L C X I S B S E V A O D
R E F C V L O N L K R L O T C N I R W U D I L D H
C T S Y F H N L T G N T I W G T D M X O E N U C C
D X V N B R M K G R D R L S I C T K G I X D G O T
R C D V C B F N R L F G F V A N N T K R E E N C A
F H C T N K I M O K X P E B Z E C T L U R P A K W
K N Q L T T T C F N W E N E R G E T I C C E I H X
X C F J R M E P A G N E U L B R E T O N I N R U N
B Y N O M N V N H E A T T O L E R A N T S D T N B
M R P B L G N I V E I R T E R Q L K N M E E M T Q
D S K H E A V Y E Y E B R O W S K Y R Q W N R E Y
G N I M O O R G C V H R W Z L V Q K D Y W T T R L
X C T L H X M N H T R M W R Z B B R R H B T M S Q
B R I T T A N Y S P A N I E L H Y L D N E I R F N
```

AFFECTIONATE	FRIENDLY	POACHERS
ATHLETIC	GROOMING	POINTING
BRITTANY	GUN DOG	QUICK
BRITTANY SPANIEL	HEAT TOLERANT	RETRIEVING
COLD TOLERANT	HEAVY EYEBROWS	SCOUT
CURIOUS	HUNT	SENSITIVE
EASILY TRAINABLE	INDEPENDENT	SPORTING GROUP
ENERGETIC	LONG LEGS	TRIANGULAR EARS
EPAGNEUL BRETON	NEED EXERCISE	WATCH DOG
FRANCE	PLAYFUL	WOODCOCK HUNTERS

CHESAPEAKE BAY RETRIEVER

```
K G U N D O G T P Q K V N E W F O U N D L A N D V P
Y C J Q H J K R Z S T R O N G W I L L E D I J P L K
L L U K S D N U O R D A O R B Y Z G W Q R B P A N T
X V X R M L M L K N N T M X T D G Q N I W X Y Y V H
Z Z E T Y T Z I B G O D H C T A W N S V M F Z N N X
T N L T A C C V W W J N Q J M M V H N R U M N X H L
W M B X B H N B Y S N T W H A R W D D L K W M X K K
A D A J E T L K Q T O B Y M Y A J Q W J Z N L R K K
V D N Q K K K F V N J T B Z T Q Y E N E R G E T I C
Y E I K A M Z B A Y E E S E C B K V V Y Q T N T R K
O I A R E F C R T M R E R E P F D Z A P Z C L A F M
I S R Z P G T M V E I S D U V P T B J T K A T O J W
L S T Y A Q M E Y E P L O E R O E Q N L N F X C G A
Y E Y R S R X E E A V R Y N X K L E T D M F H F L T
C H L P E U S K N F G I Y O A E D W V H Y E N O R E
O C I Y H T N I T G E L T E R N R M J L C C K O D R
A K S D C B E I N T C R P C E I L C D R N T N R N R
T R A Z T L R I T C Y A A P E V E N I N Z I W P U E
D K E C W Q T O O E S G E H T T E N Y S Z O C R O T
W M T Q M R W M W E D D L W D I O Q T R E N P E H R
M Y D R O X P H H N N S L M R E D R D E F A T T D I
R F M P G A J C H I C R T F K Y B M P N D T K A O E
C D S M N H F F L C N O C A N H K B G M Y E R W O V
T S L I A R T D L E I F A Q T N X D E X H M Z L L E
P V O N T X T R F H M V V T Q E N C W W N M V Y B R
L N M R N Y K D K G K X P P R D S M B Z K J K G L J
```

AFFECTIONATE	ENERGETIC	PLAYFUL
AMBER EYES	FAMILY ORIENTED	PROTECTIVE
BLOODHOUND	FIELD TRAILS	SPORTING GROUP
BROAD ROUND SKULL	FRIENDLY	STRONG WILLED
BROWN COAT	GUN DOG	UNITED STATES
CHESAPEAKE BAY	INDEPENDENT	WATCH DOG
CHESAPEAKE BAY	IRISH WATER SPANIEL	WATERPROOF COAT
CHESSIE	LOVES TO SWIM	WATER RETRIEVER
COMPANION	NEED EXERCISE	WAVY OILY COAT
EASILY TRAINABLE	NEWFOUNDLAND	WEBBED HARE FEET

CLUMBER SPANIEL

```
K H X P S B V T Y R D F I E L D T R I A L S V G Q K Q
B Z V Y K E X R D X W T H Z E N O B E V I S S A M Y V
N T Y Y T C L P X L R M K T M P L O W K E Y E D M L N
J W Z N G A N L F Q C R A Q W Y L O W S E T E A R S W
R L F N G N O R I F V K F S L W D X J D F X L X R H T
R P Y A E M I C X A X N J H S Z N Q B Y C R N L N N R
K H T F F A S H T T O M Q L G I C W J L D Q T X S Z R
K N I T Y F S T S A N N Y J Y L V D I H R T V T L E P
V O L C N X E Y D U L A E G N Q Z E G D L T O N V M E
L I I B M D R C G T L F R D R D B F H W E C D E F A T
H T B N N F P V T O H F E E C D M R N E K B I X S M L
T U O D O Y X Q P I I R D S L U P I B Y A R O I Z E G
E L N E I M E X U Y O N R R N O D E Y R T D L D I B N
E O H E N S T K O P T N G Y I E T N X E V Y D N Y Z K
F V S P A H F L R F R P A G T B D D R H T G A T V M Q
E E I S P O O P G T J L M T D K X L L R K P A L Q L X
G R L E M R S M G W G M R R E P V Y A O S O O T K C C
R H G T O T N N N Q L D E N R G M I Z R C N L R T P T
A C N E C L L T I H H E T G B L N G E E G I A D Y V C
L N E Y P E N H T G R V N N L A U B T L A P X R N V X
P E K E W G G P R R Z O U W B N M I O T R T F M X W C
D R X S R S T K O L H T H L D U H W D E P L A Y F U L
B F C Z M M R R P J W E E O L W D E B N D N A L G N E
D T K F M Y K B S J N D G C K O K M W V Q F N V M F X
N H G D N U O H T E S S A B G C U M V N F R K T N B Z
G N I M O O R G L W R F G X O L J K L T M N K R Q C F
N R C Q T K D D L V M F T D C J F N K X Q M T T Z L X
```

AFFECTIONATE	EASILY TRAINABLE	LOW KEYED
BASSET HOUND	EASY GOING	LOW SET EARS
BIRD FLUSHING	ENGLAND	MASSIVE BONE
CLUMBER PARK	ENGLISH NOBILITY	MASSIVE HEAD
CLUMBER SPANIEL	FIELD TRIALS	PLAYFUL
COLD TOLERANT	FRENCH REVOLUTION	RETRIEVER
COMPANION	FRIENDLY	SHORT LEGS
DEEP SET EYES	GROOMING	SOFT EXPRESSION
DENSE FLAT COAT	GUN DOG	SPORTING GROUP
DEVOTED	HUNTER	STOCKY
DOCKED TAIL	LARGE FEET	WHITE COAT
DUC DE NOAILLES	LONG LOW DOG	WIDE BODY

CURLY COATED RETRIEVER

```
C O L D T O L E R A N T N Z Y L D N E I R F T T T W
Y N X H K Z L M S E N S I T I V E W D R X J K L I V
U P R I G H T C A R R I A G E Y A K E L K L V T G J
S W D R T K N P Z F T R L P Y F H V R X X Y K T H L
E H M X P C M X T W M H K R F M E T K D Z R Z K T N
Y F N K L H R X T B C R T E M I Q W R G L M Q R L W
E S G J A N P G T M E X C K R M I W G O B J O J I C
D U K M Y P T C N T G T G T T R F T K D W L L H P H
N O K R F D M I R I I H E Y I X P G L H O T E H S G
O R Q F U T M I G O V R E S Y K V G P C M L S Y K R
M U L N L K E M N H D E H A O M N D R T B V R U G E
L T D B E V B A E E T W I B T I R E K A K C V P R A
A N L E E E T W T L A C E R M T V R N W M X P U S T
E E M R T E D A G T E D U M T I O I N M M R B O L W
G V F C L N O E E E I G I R L E A L B M N Q L R A I
R D T C L C E R X E N W A R L R R R E O H V R G I T
A A V J Y E S I N E S T O N T C M R I R K Q F G R H
L T K L M P V T R S R K L Y T V O N E D A M N N T K
D R R F A B M I E O C C L E F M A A N T L N B I D I
F U T N G V Y V T A Y I I M N P R W T L A J T T L D
C F I H U V O R L C S L R S M L A Y O L B W T R E S
M E G N N L M B Y A E P I O E R W Q D D N I K O I K
L R M H D B V F E L R T C M M F R D X N K K B P F K
J B F R O F D B F J K W O X A X C X P N J L D S P K
J L R L G N D N A L G N E R Z F Y C W C B N F T B K
K Y G R A C E F U L B K Q J P K E N E R G E T I C M
```

ADVENTUROUS	FRIENDLY	OBEDIENT
AFFECTIONATE	GENTLE	PLAYFUL
BLACK OR LIVER COLOR	GRACEFUL	PROTECTIVE
COLD TOLERANT	GREAT WITH KIDS	RETRIEVER
COMPANION	GUN DOG	SENSITIVE
CURLY COATED RETRIEVER	HEAT TOLERANT	SPORTING GROUP
EASILY TRAINABLE	IRISH WATER SPANIEL	TIGHT CURL COAT
ELEGANT	KIND	TIGHT LIPS
ENERGETIC	LARGE ALMOND EYES	TRUSTWORTHY
ENGLAND	LOVES SWIMMING	UPRIGHT CARRIAGE
FAMILY ORIENTED	LOYAL	WATCH DOG
FIELD TRIALS	NEED EXERCISE	WATER RETRIEVING

ENGLISH COCKER SPANIEL

```
R K V K E A S I L Y T R A I N A B L E T J J G K T L
N J D L C L R K R P L T R P T N A R E L O T D L O C
F E L E N N R L J L I F R E T R I E V E R Y E T T T
X B E R V W D L M A T M M D T Q W S C P R V L B L F
H J M D T O M M G Y M N W L N Z E L U M I F E H I N
A H T Y E D T L R F R N A C L N X O L T D M I R A Y
B F Y L B X U E D U G X D R S V R K C C G B N N T E
M X F M E F E R D L R M P I E G T E Y V V F A K D L
H R T E R I M R Q G L H T J G L T F L B A C P Q E Z
K W Q E C Y N L C A D I H N L O O T Y M Z M S M K Z
W Y W T R T U A N I V L I Z R Q T T I W L N R S C U
M O V M E F I D P E S T T P Y G T L T R R N E L O M
P B Q P R E S O N S R E S P R R Y G T A Z N K A D D
L D Q E Z P F M N O R R M O C O L U A P E C C I M A
T J E M A J Q T P A A E O N R T J N O N K H O R G O
L H L N C K N S A E T M K I Q T T D C G P V C T O R
C Z I F G K V J T C I E E C H T W O Y O C M H D D B
N E M Z Q K J E V N M N N V O R M G K D K D S L E N
L G L Y L Q S V G E T B G V N C Q P L H C N I E L W
X W P Y Z W W B N E N E R G E T I C I C L T L I B W
X K X H O J L G D Q N L H C R N V L S T F R G F A L
N F N L J T L I U B T C A P M O C T G A F D N G I O
P J H J J A G N I H S U L F D R I B Y W D R E T C Y
Y C P L N E M A G G N I G N I R P S N C N T H R O A
L R P D F L K N E V I T A R T S N O M E D L P Q S L
Y H M I N Q U I S I T I V E F L A T W A V Y C O A T
```

AFFECTIONATE	ENERGETIC	LOYAL
BIRD FLUSHING	ENGLAND	NEED EXERCISE
BROAD MUZZLE	ENGLISH COCKER SPANIEL	PLAYFUL
CAT FEET	FAMILY ORIENTED	POWERFUL GAIT
CHEERFUL	FIELD TRIALS	PROTECTIVE
COCKER SPANIEL	FLAT WAVY COAT	RETRIEVER
COLD TOLERANT	GROOMING	SENSITIVE
COMPACT BUILT	GUN DOG	SILKY COAT
DEMONSTRATIVE	HEAT TOLERANT	SOCIABLE DOG
DEVOTED	INQUISITIVE	SPORTING GROUP
DOCKED TAIL	LAND SPANIEL	SPRINGING GAME
EASILY TRAINABLE	LOW SET EARS	WATCH DOG

ENGLISH COCKER SPANIEL

```
R K V K E A S I L Y T R A I N A B L E T J J G K T L
N J D L C L R K R P L T R P T N A R E L O T D L O C
F E L E N N R L J L I F R E T R I E V E R Y E T T T
X B E R V W D L M A T M M D T Q W S C P R V L B L F
H J M D T O M M G Y M N W L N Z E L U M I F E H I N
A H T Y E D T L R F R N A C L N X O L T D M I R A Y
B F Y L B X U E D U G X D R S V R K C C G B N N T E
M X F M E F E R D L R M P I E G T E Y V V F A K D L
H R T E R I M R Q G L H T J G L T F L B A C P Q E Z
K W Q E C Y N L C A D I H N L O O T Y M Z M S M K Z
W Y W T R T U A N I V L I Z R Q T T I W L N R S C U
M O V M E F I D P E S T T P Y G T L T R R N E L O M
P B Q P R E S O N S R E S P R R Y G T A Z N K A D D
L D Q E Z P F M N O R R M O C O L U A P E C C I M A
T J E M A J Q T P A A E O N R T J N O N K H O R G O
L H L N C K N S A E T M K I Q T T D C G P V C T O R
C Z I F G K V J T C I E E C H T W O Y O C M H D D B
N E M Z Q K J E V N M N N V O R M G K D K D S L E N
L G L Y L Q S V G E T B G V N C Q P L H C N I E L W
X W P Y Z W W B N E N E R G E T I C I C L T L I B W
X K X H O J L G D Q N L H C R N V L S T F R G F A L
N F N L J T L I U B T C A P M O C T G A F D N G I O
P J H J J A G N I H S U L F D R I B Y W D R E T C Y
Y C P L N E M A G G N I G N I R P S N C N T H R O A
L R P D F L K N E V I T A R T S N O M E D L P Q S L
Y H M I N Q U I S I T I V E F L A T W A V Y C O A T
```

AFFECTIONATE	ENERGETIC	LOYAL
BIRD FLUSHING	ENGLAND	NEED EXERCISE
BROAD MUZZLE	ENGLISH COCKER SPANIEL	PLAYFUL
CAT FEET	FAMILY ORIENTED	POWERFUL GAIT
CHEERFUL	FIELD TRIALS	PROTECTIVE
COCKER SPANIEL	FLAT WAVY COAT	RETRIEVER
COLD TOLERANT	GROOMING	SENSITIVE
COMPACT BUILT	GUN DOG	SILKY COAT
DEMONSTRATIVE	HEAT TOLERANT	SOCIABLE DOG
DEVOTED	INQUISITIVE	SPORTING GROUP
DOCKED TAIL	LAND SPANIEL	SPRINGING GAME
EASILY TRAINABLE	LOW SET EARS	WATCH DOG

ENGLISH SPRINGER SPANIEL

```
M R B V C W A R C T R E T R I E V I N G P Z B M V
F E V L O Q F M L N K K B Z T G O D N U G R P C T
K G M M M Z F N E Q J L H C M Y V V Y M A H D J K P
K A Q Z P X E B I H C D T F G B M L M R L C Z U Q
H I T C A J C Z N L B E N E R G E T I C K E O V M
F R V M C R T T A P K D O C K E D T A I L R R D N
N R F L T G I Z P S E Y E L A V O V Z F G W D T Q
O A N W B C O W S E V I T C E T O R P G Q B N G G
I C O P U L N N R W C D X M R H T G N C F E E N N
S D B M I X A N E N H K K M K T P I O I E L R N M
S U E F L J T K G R G V R L K W T T E D B M O V N
E O D M T B E L N N W K W K Y R I L E A H R X P M
R R I D N N B X I X B C Q K O A D X N R F C K C G
P P E X J P Z G R R M F G P G T E I X O N E T N T
X X N B X K N P P R L B S G R R A H L T N L I A T
E T T X H I N T S C V P N I C R B K U D X H N F W
G V L T R F O G H K P O A I T P S Z U N S J U R L
N E B P L J I N S M L L S Y R P L R P U T L Z P T
I R S Y T C N I I G S E L Y A D A V L L L E O N K
T S M X R Y A M L D K I P N T N N F G L A P R L R
S A Q L X W P O G M S Q I T C I D A I D U Y W M K
U T C H B P M O N A L E K E B R L P L L L C F G B
R I D K K R O R E R L X X V I Y S I A G T P Q U T
T L H T Z V C G M S K T R B F B L R G Y N R L K L
L E J F I N Q U I S I T I V E G C G M A K E D R T
```

AFFECTIONATE
AGILITY
ALERT
BIRD FLUSHING
COMPACT BUILT
COMPANION
DOCKED TAIL
EASILY TRAINABLE
ENDURANCE
ENERGETIC
ENGLAND

ENGLISH SPRINGER SPANIEL
FIELD TRIALS
FULL LIPS
GROOMING
GUN DOG
HUNTER
INQUISITIVE
LONG GAIT
NEED EXERCISE
NORFOLK SPANIELS
OBEDIENT

OVAL EYES
PLAYFUL
POPULAR
PROTECTIVE
PROUD CARRIAGE
RETRIEVING
SPORTING GROUP
SPRINGING
TRUSTING EXPRESSION
VERSATILE
WATCH DOG

FIELD SPANIEL

```
Z D N W L M N L L E L B A N I A R T Y L I S A E X L K G
N W P R O T E C T I V E D T N O I N A P M O C Z T D W D
O Q A F V M R D P Q R J K J T N N T D N A L G N E E N R
I V F R M K L C U X J A M H N Z R J R L G W R X K T R E
S H F I N C M B O B W X R D L R L G N N Y K M X H N V N
S T E E R N T D R Y T N G E M I V W I R T T N N L E Y G
E L C N N Z J D G T G P T L B Z A M R T L Q T D J I G L
R I T D Z Z P L G U F J R N B R O T Q T G L N K R R R I
P U I L B Y P K N Q W V X N L O E P D L G B A W P O Z S
X B O Y W Z R D I K G K K R R P R E M E N B R C L Y L H
E D N J F C O N T L C N G G L D T N D D K N E F E L G C
E I A Q N G F K R L J M I S X L Q N L T W C L Z A I N O
L L T N C R R P O Y F M L H E K M D K D Q M O N S M I C
T O E T J N N Q P K P A L I S D E V O T E D T D I A V K
N S B T B N T K S P I L N X C U F T K L N V D X N F E E
E R T L L Y Z N H R M A A H T J L N W E N Q L T G K I R
G J N N T L V V T C P Q E Y K N R F E A R B O P L K R S
X L K M A R R D L S G E F P F F E D D S T T C E L Q T P
L L C F K R L R D R R X T L P U E D L R E C I K M M E A
N F K L H E E N N F M W D J G X L L N E I N H V J T R N
V B Q T I Q A L U E N E R G E T I C F E A B S D P W M I
D R Q F K L S L O P Q D C R W X R D L P P J C I O X D E
Y J W D K T T M T T C C C L G T E P S Q T E L Y T G B L
M W H D A G R N L T T I D G W B Q D T R T Y D W Y I T Q
G C V M T J B J D J S A B J B G L H H H K L H N X W V V
G T I L D M M P J E N T E E T E V K M J D K T D I J P E
M N N R R N D H D P P M W H I L O N G L O W S T R I D E
A N D T A O C E L G N I S F X D G N W G T B H U N T E R
```

AFFECTIONATE	FIELD SPANIEL	PLAYFUL
BIRD FLUSHING	FIELD TRIALS	PLEASING
CHEERFUL	FRIENDLY	PROTECTIVE
COLD TOLERANT	GENTLE EXPRESSION	RARE BREED
COMPANION	GROOMING	RETRIEVING
DEVOTED	GUN DOG	SENSITIVE
DOCKED TAIL	HEAT TOLERANT	SINGLE COAT
EASILY TRAINABLE	HUNTER	SOLID BUILT
ENERGETIC	INDEPENDENT	SPORTING GROUP
ENGLAND	LAND SPANIEL	STAMINA
ENGLISH COCKER SPANIEL	LONG LOW STRIDE	WATCH DOG
FAMILY ORIENTED	NEED EXERCISE	WEBBED FEET

FLAT COATED RETRIEVER

```
L N Z L N B A C T M Q K R R T X K R D X G N W Q J P Q
V Z M N D E C L N N N P H V K Q E F E S W E E T L L B
S H M P P T X P M Y A H T N K V M L R R V M L X H D M
M L L N V Z B U J O X R L T I H B C M P P D K X R P R
O H V K L R Q G B E N F E L R A P R Y N R D N M E C M
O W D C V I T P N E A D R L N E D Y C M E K H B V H N
T H E C M T A G G T R O E I O W V D R T L V L K E E V
H F V L N B L T H R K A A Y F T L E N X B R T L I L D
G N O T I A R L G C X R N J E S D E I P N K R R R Z L
A T T G N T E P A N T C C T L S I L U R R W L M T Z K
I N E D X T A L R Y I O M A C R F O O G T P W P E U C
T A D Q I N B S L W M G I L O G R W J C K E T R R M F
B R C C T T K I R P T R G Y T G B A X M D V R O D P G
C E P N X N S N A E T N L A G R F Y L Q W F L T E E N
R L T D E A T N L D V I X N W F D P N M L Z R E T E I
N O N H E E I W L L M K I R E T N U H H D X Q C A D V
L T E H X O D E G A L T V C Q R W P Q D R Z Y T O G E
J T I F N C I E F R R D T G N W N Y H X T Y K I C N I
N A D P E F M V X O O I N Q M Z F P M K K F J V T O R
T E E L P L J Y P E O O R T F Y L D N E I R F E A L T
J H B Q L H E S J N R R M N Z D T Y G J T T M H L N E
G W O C A W F G A N T C N I Z N X R T L M M Z L F Y R
F W H R Y J G T A R R K I K N F X B X K Z C R R F Z R
J P K D F G E M R N R Z Z S N G G O D N U G H N G H E
Q P O P U L A R Y C T F H T E E N E R G E T I C T V T
L M Q L L Z B K W H J L E V I T I S N E S Q P N T H A
Q W A T C H D O G T S R A E D E R E H T A E F N F M W
```

AFFECTIONATE	FAMILY ORIENTED	PLAYFUL
ALMOND EYES	FEATHERED EARS	POPULAR
ATHLETIC	FIELD TRIALS	PROTECTIVE
BLACK OR LIVER	FLAT COATED RETRIEVER	RETRIEVER
COLD TOLERANT	FRIENDLY	SENSITIVE
COMPANION	GROOMING	SMOOTH GAIT
DEVOTED	GUN DOG	SPORTING GROUP
EASILY TRAINABLE	HEAT TOLERANT	SWEET
ELEGANT	HUNTER	VERSATILE
ENERGETIC	LONG DEEP MUZZLE	WAGGING TAIL
ENGLAND	NEED EXERCISE	WATCH DOG
EXUBERANT	OBEDIENT	WATER RETRIEVING

GERMAN SHORTHAIRED POINTER

```
X H A I I P U R P O S E D O G C G V Q J J W Z E T
D K N M G U N D O G K Z Y G R N E B Z V G L C L T
R E T N I O P N A M R E G W K Z R R D S K B D B D
H N N E E D E X E R C I S E B K M R H U V K E A N
J E K D P B G Y T I L I G A T E A G K O X Z T N K
N R W S U C G B W R B T R Q V L N T C R W R N I R
R O L E O Y K C X T M K X I U M S Q N E M F E A C
M A Y N R F B B M V I X T P R S H N Y T P T I R D
D N B S G M D L K N K C O K M H O H C S W L R T L
J D R I G P M G G C E P P O U I R I M I T O O Y W
H T Y T N R H C A T K P O N N V T Y F O O V Y L T
N R H I I J G B O J L T T A D E H N B B U E L I T
V E M V T M T R G A H I P C G D A F C J G S I S Q
A F M E R R P K Y G N M H R C N I R P J H W M A G
F F T D O F P F A G O F E K R R R L F B C A A E E
L V F H P P U I X C F N K F A K E N R P O T F R R
V U S E S L T V T T E F L T A C D H R M A E M B M
X T F P C A Y L D N E I R F H G P R C B T R G W A
R H P R O T T R Z P E Q M X Z M O M Q S K X K R N
N M N B E I I H P Z N I H J R D I D L C T H K Q Y
W D V R Y W N O L K M W D P U F N X H G R U N T T
N X K N C N O T N E Q R H E K V T R L C M Q E W H
M N Z M G W T P E A T Y K I B N E T C B T Y X D V
J G N I L I A R T R T I M N N O R R H J H A R K M
D E V O T E D X B T T E C M K E C W L N L Z W D M
```

AFFECTIONATE	FRIENDLY	POINTER
AGILITY	GERMAN POINTER	POPULAR
AII PURPOSE DOG	GERMAN SHORTHAIRED POINTER	POWERFUL
ATHLETIC	GERMANY	PROTECTIVE
BARKING	GUN DOG	SENSITIVE
BOISTEROUS	HUNTING	SHORT BACK
COMPANION	KURZHAAR	SMOOTH GAIT
DEUTSCHER	LOVES WATER	SPORTING GROUP
DEVOTED	NEED EXERCISE	TOUGH COAT
EASILY TRAINABLE	NERO AND TREFF	TRAILING
ENERGETIC	OBEDIENT	WATCH DOG
FAMILY ORIENTED	PLAYFUL	WHINE

GERMAN WIREHAIRED POINTER

```
D L J L K B S M E B T E S I C R E X E D E E N G E
M R Z R C H N T D V T L I U B Y D R U T S R E J L
R R A F M U L R U M I L N M N G B X J M R R K T B
R N J E J N N E L B K T O B M J M V Y T M G V N A
Y L T Z B T A T T W B P C V M H Q Y G A G T X A N
M T T V M I F N Z L N O L E A H L R N O T M N T I
T J X N R N F I T G X O R A T L O Y D B V F Y S A
T R M N X G E O K N D C I N Y O E D M K B K R I R
K J Q W B Y C P Z Y F T M N M F R Y J K N S T S T
G U N D O G T D Q Z D F T I A I U P E F X U T E Y
B H F R T G I E F P G L N M B P D L T S L O S R L
M W L Y R T O R R Z G G D B B G M V N W Q R P R I
Z E K V K L N I B P J V V H T T L O G X E U E E S
R B T V N R A A F E N E R G E T I C C K O T L H A
T B S M O O T H G A I T V G P H W T S R N N X T E
D E N K N C E E W G O D H C T A W I G I H E D A P
N D F M P T Y R Y N P C T Y R L H G O A N V Q E G
U F H H N O G I K K M N X R F W N P R Z Q D V W G
H E N D W F I W R T L Q J H J I N S R F K A L T Q
E E Z F C M B N Y G M P J T T A H R T M Q Q W G P
T T X G B H V A T T Y L F R M C D R N M C V M L D
S V B F P B D M N E T Z O R O V L N G Y B P C V M
R R L H N W K R P M R P E A T M X V Z W R V K L C
O M W W B V G E Z Y S G T L I A T D E K C O D M L
V V P R D L L G D Z W P U D E L P O I N T E R K F
```

ADVENTUROUS	GERMANY	PUDELPOINTER
AFFECTIONATE	GROOMING	SMOOTH GAIT
BEARD	GUN DOG	SPORTING GROUP
BIRD DOG	HARSH COAT	STUBBORN
COMPANION	HUNTING	STURDY BUILT
DOCKED TAIL	NEED EXERCISE	VORSTEHUND
EASILY TRAINABLE	OVAL EYES	WATCH DOG
ENERGETIC	PLAYFUL	WEATHER RESISTANT
GERMAN POINTER	POINTER	WEBBED FEET
GERMAN WIREHAIRED POINTER	PROTECTIVE	WHISKERS

GOLDEN RETRIEVER

```
L L X T P K E J P O W E R F U L G A I T J E L L E B
G Q K T B X L B R O A D S K U L L P P Z T R R P K L
W F Q Z K B B L V H E A T T O L E R A N T V R W J O
L G C Q M T A J D R T T W K K Z G N V K L E L Q R R
N G L M N R N N M W X D B P M M P O Y H X R R B E D
K H A Y E Z I E R T D M J V V B K Z D U F M C Y V T
R N F M E K A R I Z E W J R F N T N B H L H T G E W
Q R F K D K R L Y D V E E N E R G E T I C T R K I E
S A E S E H T D L R E Z F Y K T R B N S L T K P R E
L E C R X V Y P T F M B P D P A G D R Y Y B A D T D
A L T E E Z L J G R A U O L N U K A Y H X Q H W E M
I O I T R N I R J T O M I T N U E L T T K J M S R O
R T O N C C S Y A R R A I D C T O Z Q G R N N H N U
T S N U I K A D G L T Z O L R F P R C T C O P A E T
D E A H S H E G M K U G D O Y A M L N K U G N D D H
L V T J E V N L C G G P H X W O T A A S M N J E L B
E O E B J I L I K K G S O B V T R H Q Y N C N S O O
I L R M T Q H B R Q F R N P K E R I L C F L K O G I
F R L R H T L K B R K B O X L F Q H E E C U V F Z S
T K O Z W N H Y I C M Q B O F T L R W N T K L G R T
T P E V I T C E T O R P T M M N D R H K T I K O M E
S C Y F K K N N V R K D L M R I M N R Q J E C L N R
Z B R Z L D N N F V L R F R B J N M Q T Z Q D D B O
K Y L Y L M G D M O K D J L M B M G L M L H L G T U
R J D Y Q G K C C E S A E L P O T R E G A E X R Y S
D N A L G N E C N X N Q Q G W H M D E V O T E D F J
```

AFFECTIONATE
ATHLETIC
BELLE
BOISTEROUS
BROAD SKULL
COLD TOLERANT
DEVOTED
EAGER TO PLEASE
EASILY TRAINABLE
ENERGETIC
ENGLAND
EXUBERANT

FAMILY ORIENTED
FIELD TRIALS
FRIENDLY
GOLDEN RETRIEVER
GROOMING
GUN DOG
HEATTOLERANT
HUNTERS
KIND
LORD TWEEDMOUTH
LOVES TO LEARN
NEED EXERCISE

NOUS
OBEDIENT
PLAYFUL
POPULAR
POWERFUL GAIT
PROTECTIVE
ROUND FEET
SHADES OF GOLD
SHORT EARS
SPORTING GROUP
THICK TAIL
WATCH DOG

GORDON SETTER

```
K D K M G X G N R A H C C L B A L Q J Z W D P V L R
M T R R L F J E E F W O L L B T N W Q F D L T C F E
F M V N P A W E T F R M T P W L R I R T B L L Z K T
L K T T D M T D T E L P G D L H K I M C L R I M L T
L P B Z D I W E E C L A P W V A E L S A Y D U B B E
Z D K R D L N X S T N N C M J N Y O M T T V B M E S
T H T D L Y M E N I K I Q O D T F F I W Z S Y J L N
F M U W C O Q R O O N O T L L T H A U K B H D L B A
D B T N R R J C D N K N Y G S D G I J L X N R Q A T
K K R K T I J I R A G T M H G H T P C P X N U L N D
W P O W P E N S O T N C I U T X B O U K Q W T Q I N
T R B N P N R E G E N N N O C S M O L W C J S P A A
L T E I H T P N M K N D O D L S R L B E W O L K R K
B A R A X E H P D Y O M N A G G R J B Y R N A G T C
Z O T T N D R P H G S A I D G O G A R H T A M T Y A
H C C I K K J A J D L R E N D N D M E E N Y N F L L
M N H R Q Q I T L T T V I M I N H H X T T M G T I B
R A A B P R M O O D O T P M R F M W C D E N N X S F
P T P T G Y B C L T R Q O P H J J N C T H S I L A K
X K M A R V S E E O M O C K W W G T Z H A L W O E G
P C A E R H I D P Y R J Q T T C N L H Z C W K O P N
L A N R D F J S T G F L A G G I N G T A I L T Q L K
B L X G Q E V I T C E T O R P T E E F T A C V T D L
K B M B V R F G X Y T M B I R D D O G T R R G N Y R
H E A T T O L E R A N T L F R P P E V A R B L J K J
M Q K G N L B H J R E T T E S C E N E R G E T I C P
```

AFFECTIONATE	FAMILY ORIENTED	PLAYFUL
BIRD DOG	FIELD TRIALS	POINTER
BLACK AND TAN SETTER	FLAGGING TAIL	PROTECTIVE
BLACK TAN COAT	FRIENDLY	ROBERT CHAPMAN
BOLD SMOOTH GAIT	GORDON SETTER	SCOTLAND
BRAVE	GREAT BRITAIN	SETTER
CAT FEET	GROOMING	SOFT SHINNY HAIR
COLD TOLERANT	GUN DOG	SPORTING GROUP
COMPANION	HEAT TOLERANT	STAMINA
DEVOTED	HUNTER	STURDY BUILT
EASILY TRAINABLE	LOW SET EARS	THICK COAT
ENERGETIC	NEED EXERCISE	WATCH DOG

IRISH SETTER

```
S C H A M P I O N P A L M E R S T O N C I H N N T P
K E Y T W N X T N B N L K B Y R K E I R K J Q V T O
F L T M Z Y C N J F J R T N R T G T E D C G N H T I
A I L T R N K O H N M K W P N M S L G F T Y T M W N
M R G Q E V N Y M G U N D O G A A N J V L Y L M X T
I I J M V R T G N P S T W K I N R F L W C L K H E E
L S G R L Z Q O P T A C N S D Q F R C M R R A L J R
Y H J N Z L D F A L X N U E N E R G E T I C B M B L
O R M W I R L M J P A H I G Z W L A C N F A E T S F
R E J K O R I B M L T Y T O C C F Q E Y N L N W P R
I D X G K N E W P N V T F P N F Q A R I B N E G M X
E S B R A M L H E Q W X M U E M G P A A T L E S T C
N E X E T A O C T A L F R C L E U R I P Q N D L L C
T T R T J Y L C D A Q L T N R O T C J M L X E E F R
E T O T R W C X P R E I M T R Y O R K N T D X I R X
D E L E Q G R P K K O F O G L S L L N K C Q E N K G
J R O S N O V Y N N B P G I G R E M P P X L R A Y A
M S C H C D M B A G L N S Q Q N E L M G R N C P N M
X R Y S K H N T B E I A T Q V W I T E M R T I S S I
J J N I N C E K A T E K N C K X R M N G P K S H S A
L M A R M T P S R L D Y V Z R X L D O U A K E X E B
T T G I F A E O J N M X R N L B D G K O H N L K L L
T Q O R F W P M G G O O D N A T U R E D R Q T L E E
V D H N R S S D I K H T I W D O O G Z C D G H J R K
R T A V Q D N Q X Y R E T T E S D E R W W D K T I X
K T M L O W S E T E A R S Y L D N E I R F N D Q T P
```

AFFECTIONATE	FRIENDLY	NEED EXERCISE
AMIABLE	GOOD NATURED	PLAYFUL
CHAMPION PALMERSTON	GOOD WITH KIDS	POINTER
COMPANION	GORDON	RED SETTER
EAGER TO PLEASE	GROOMING	SETTER
EASILY TRAINABLE	GUN DOG	SMALL FEET
ELEGANT	HUNTER	SOCIABLE
ENERGETIC	IRELAND	SPANIELS
ENTHUSIASTIC	IRISH RED SETTERS	SPORTING GROUP
FAMILY ORIENTED	IRISH SETTER	STAMINA
FEATHERING	LOW SET EARS	TIRELESS
FLAT COAT	MAHOGANY COLOR	WATCH DOG

IRISH WATER SPANIEL

```
D C Y M N M I W S O T S E V O L G T K Q V R L R E H L
Y E V I T C E T O R P C I T E L H T A K M X P L D T O
C R I S P R I N G L E T S C V N F N C K G N B L L W N
M N L N V W Q Z E R X N B J T T R W T L L A T T K A G
S G T W Q T H T X C W N T R K L T P E P N L A D M T L
L O K D M M B Z V K N H Y D M D M I B I P Z O L R E O
E O Q D K V M F L M J A Q K F R N Z A P U N C N L R W
I D B B G D L R G J N R R F R A N R K G O M E F E R S
N W E N E R G E T I C K R U P E T K D B R C L F I E E
A I H G N R C L P R T L I S D Y T N R K G F B K N T T
P T D L M R G U N D O G R R L N U N R C G W U Y A R E
S H C A P H B Z H Q T E Z I E O E F U T N R O T P I A
S K V R L Q L D Z N T Q S C R L I P A H I B D A S E R
Y I L G A G I B N A E A K A M E A F X B T B V O H V S
H D Y E Y L H N W G E E S K L C F N R P R V M C S I Z
T S M F F C H H Q T R N D D X E L R D F O Q Z R I N B
R X F E U B S I B U W X T E C N N M N Z P H C E R G J
A T C E L I C O N O I R C T X N B Y X N S U P V I K N
C M H T R L A D L T I S I G D E X W N M R W G I N N W
C Y K I D T I C K A E O I K O R R N D L F Q N L R L N
M N L R S T B A L D N L T T T D L C Y N P N I D E L R
T R W W V L D S T A T R L B I K H C I Y F R M I H M O
N J A R X L N L T T E H T I M V O C C S D F O L T R B
Z I J N G Z F E R L A B G K G A E K T H E T O O U R B
N V K R X R M J A P T R X V T E B N C A N G R S O G U
I N D E P E N D E N T T H V J N N J N G W V G M S B T
K T N E C N A R F F O G N I K G M T Q X Z L M L K B S
```

AFFECTIONATE	GOOD WITH KIDS	LOVES TO SWIM
ALERT	GROOMING	MCCARTHYS SPANIELS
ATHLETIC	GUN DOG	NEED EXERCISE
BOATSWAIN	HUNTER	PLAYFUL
CLOWNS AROUND	INDEPENDENT	PROTECTIVE
CRISP RINGLETS	INQUISITIVE	RAT TAIL
CURLY COAT	INTELLIGENT	SOLID LIVER COAT
DOUBLE COAT	IRELAND	SOUTHERN IRISH SPANIEL
EASILY TRAINABLE	IRISH WATER SPANIEL	SPORTING GROUP
ENDURANCE	KING OF FRANCE	STUBBORN
ENERGETIC	LARGE FEET	WATCH DOG
FIELD TRIALS	LONG LOW SET EARS	WATER RETRIEVING

LABRADOR RETRIEVER

```
H G R Y T J T N B V T X N R A E L O T S E V O L Y E T R
H R R K W Y A L L P U R P O S E D O G S Y X X V R T T R
R N E E X G K N E S I C R E X E D E E N K L N F J A R K
K W E V A T E C M M F D C F N G N I M O O R G R O N R D
D T W W E T T N L Y B Q M G U N D O G L Y J K C R O B G
H T P L F I W W O L J V W D R J N J G E X M F E E I R R
E W M L K O R I N B G M P B N A L B A F R O V P V T O T
A O X F H C U T T R E P Y L Z T L G T T O I Y M E C A L
T L E M C M L N E H L G F L J M E U D R T W N W I E D X
T L N R D T L Y D R K F R C D R N T P C P R B D R F B K
O E E Q W Y N V Y L N I O A T N M R E O K N F T T F A D
L Y R F B F V M K C A L D O L P E T N Q P M I L E A C L
E E G B P Y M P F M D N P S P H O I D K Q Y E C R L K W
R T E L G K T L P T T L D U T R T E R J H R L P R L S W
A A T W K X L Z O M E T O A P N T L Z F N P D R O L K M
N L I L A R R L K A V R E Q E N H M W P D C T N D R U T
T O C M J T E B S T G W H I E G L K V C W K R G A E L W
B C T C R R C E M G N R D I M T S N G Q G L I T R T L X
R O Y G A Q N H N R N E R P K T T N Q P P T A N B R K R
Z H P N T K K I D R B O H F J F G D L W X N L K A I R G
C C T K M L T K K O Y N C O T T H A D Y C K S V L E E D
D K J K R R M J C L G J H A L T Y Z R Z B P V L Z V M D
E C B Y O M W G I K P N H W N F R Y N C H V V E L E M D
T A T P L R Z M X K S W Q X U A Z R M K R F M S P D I D
O L S N G D A X M Z Q L M L B X D Z T N B L G S M F W T
V B R W L F L I A T K C I H T X B A T M W T Z E X I S H
E D Z N K K C M C G Y Z G K B T A M I A B L E R G S J K
D T E A S I L Y T R A I N A B L E F M R B J V Y Z H J X
```

AFFECTIONATE	FIELD TRIALS	OBEDIENT
ALL PURPOSE DOGS	FRIENDLY	PLAYFUL
AMIABLE	GREAT WITH KIDS	POPULAR
BLACK CHOCOLATE YELLOW	GROOMING	PROTECTIVE
BROAD BACKSKULL	GUN DOG	RETRIEVED FISH
CANADA	HEAT TOLERANT	RETRIEVER
COLD TOLERANT	LABRADOR RETRIEVER	SPORTING GROUP
DEVOTED	LARGE BONE	ST JOHNS
EAGER TO PLEASE	LESSER	SWIMMER
EASILY TRAINABLE	LOVES TO LEARN	THICK TAIL
ENERGETIC	NEED EXERCISE	WATCH DOG
FAMILY ORIENTED	NEWFOUNDLAND	WEATHERPROOF COAT

POINTER

```
W L Z E A S I L Y T R A I N A B L E F L W K W G
S Z P G M K K W I N G S H O O T I N G G R M G M
P K M N F B E N E R G E T I C M R H O P H R Y K
A K Q N O B L E H E A D T B P T B D X X T D M H
N J X T F H L B Q T R N N L P L N T N N M R Q U
I G O D H C T A W A A E T H P U A Y N N Y G L N
S L T Q X K F V T R E I T U G K T Y V N K B J T
H T C W B H T H E D A D O N E Z P L F P R D W E
P W T X V D L L E G N R B M A R Y O L U R R T R
O T R K T E O X H K G K A F Q R A M I Q L L E G
I W J C T T E T G G R B F I N R E H R N T R E R
N T J I D R O M N Y I P F E T E E L T L T T W Q
T R C L C O T I Z R X Z E L C T V L O N Y I S C
E X O I M L T Q D F X L C D O N I T T T I H N W
R C S S F R M D Y W L M T T M I T G M N T O V G
R E K V O R O Q L V R Q I R P O C N J Q E A P M
E K X P G G I J D W R F O I A P E H G R T G E T
T Z S J V N Q E W X L V N A N H T L V W R L C H
N M Y H Y R N T N H H B A L I S O K Y B D C L J
I H X F T N L L Y D D H T S O I R E N G L A N D
O Z L U F R E W O P L N E P N L P C L Q Q Y K W
P R M O V A L F E E T Y C F R G F R C M Y W Y L
V N F J A N I M A T S X W P M N Q R K K K L K Q
R L R A L U C S U M D N A N A E L M Y L C R D Z
```

AFFECTIONATE
ATHLETIC
BIRD DOG
COLD TOLERANT
COMPANION
EASILY TRAINABLE
ENERGETIC
ENGLAND
ENGLISH POINTER
FIELD TRIALS
FRIENDLY

GENTLE
GUN DOG
HEAT TOLERANT
HUNTER
LEAN AND MUSCULAR
NEED EXERCISE
NOBLE HEAD
OVAL FEET
PLAYFUL
POINTER
POINT HARE

POINTING
POWERFUL
PROTECTIVE
SMOOTH GAIT
SPANISH POINTER
SPORTING GROUP
STAMINA
SWEET
WATCH DOG
WING SHOOTING

SPINONE ITALIANO

```
H D S R A E D E P P O R D E G R A L M J L I G R Q L
C W H O U N D L O O K S X S D K R S P N O T R E M B
Z J M T L R Y X X B D F R R P P O P Y O C A J S K M
E N E R G E T I C I R E E M K N N I G I H L V A R F
M M R Z P Y Y R K A D T Y V A Y N L Z G R I G E H T
M Q N N B N H S L A R B T I G F D S V E E A O L L T
T G C V R T E U R I L Q L K T F B U W R C N D P P K
M F M L W V C T E N C A V T C P L O Q T O S H O K L
L G Q L O S K V G E T M R P R U P L M N L P C T G Y
M V X L U E I O W I A E X Z W O L U Z O O I T S T N
R G L M E N D W E Z E S L Q L R K D N M R N A T N E
O J L R G N Q N I R C C Y B P G M N M D E O W N E E
U M G M U K O K I R E R L G A G Y E R E D N M A G D
N Z M G W N C P F L Y T D I O N M P F I E E F W I E
D M D E I T M C T I C C M R A I I J N P Y F K L L X
F H P P L E M I C O T Q O X Z T N A F L E V K B L E
E L S F N T C J T Z R A V A G R D G R C S L B P E R
E K M A Q Q N P G B W T L D T O N E T T O C Z X T C
T P M N T N M E Q L H X T Y Q P Q I K N Y Y R G N I
X O L C O U R A G E O U S S Z S O V G C B L R G I S
R N M A D M W B N F T V F L A N D M J N O R I P H E
V C M K Y P O I N T E R T V A F U F M K Z D K S T B
K H K Q G F H T T T N Q L T M Z G N I K C A R T A Z
Q C N N T V U C R Q X M E L Z X L N N H K X Y F K E
X Y H P V L N L H M N R R L D H Y L D N E I R F H G
D K H C R K J D E T O V E D M Y L M J C R L G T L T
```

AFFECTIONATE
CELTIC
COURAGEOUS
DEVOTED
DOCKED TAIL
EASILY TRAINABLE
EASYGOING
ENERGETIC
FAST TROT
FRIENDLY
GENTLE
GREEK TRADERS

GUN DOG
HOUND LOOK
INTELLIGENT
ITALIAN SPINONE
ITALY
LARGE DROPPED EARS
LONG MUZZLE
LOVES KIDS
MUSCULAR
NEED EXERCISE
OCHRE COLORED EYES
PENDULOUS LIPS

PIEDMONT REGION
PLAYFUL
POINTER
RETRIEVING
ROMAN EMPIRE
ROUND FEET
SPINONE ITALIANO
SPORTING GROUP
TRACKING
WANTS TO PLEASE
WATCH DOG
WIRY COAT

SUSSEX SPANIEL

```
Y L D N E I R F G N I H S U L F D R I B J R N M V T
H W Q L U F R E E H C N K R X Z P M O R M R K E P T
K Y D O B R A L U G N A T C E R L L Z U Q M A G D D
R L R A R E B R E E D K Z R G Y Z T A N N S N A L N
L S T E A D Y H D N Y T K G B O M R H Y Y D F T W Q
Z H J K V Q K M X L M T N K G T D T A G F F F L K S
M R E A S I L Y T R A I N A B L E H O L E U T E P V
H P V T M L T Z Q M M A M Q Z T T I C C U T L A E T
E U Y T L R J H X O Q G F L Z V N W T T G C N T L T
N O T T N C K R O Y W L G B N G R I P J A I S E M S
G R A B J G A R C T O U W R M P O L N P E W I U E K
L G O N J T G L R Q R F M K B N L T Z L W N Y O M S
A G C F V M L M M N K R F W A J N D S R A W T W P B
N N R M J H Z M Z E I E M T P N K O C P Z G R I T G
D I E M N L D E N E N W E Z W C F M S J N V L R M V
Q T V R F I W V Y D G O Z X F S D X Y I W S A D X G
V R I E Y A R I Q E D P D H U C E Q R R U C K T N M
M O L T M T N T T X O D X S N S Z E M O K Z N I Q K
K P N R T D B C D E G M S E S H H K L I R W K F Y M
C S E I L E B E Y R R E C U S T K U N V R R L M X W
D L D E P K N T V C X E S J A S D G Y G A L W G G L
Z Y L V Q C J O W I W M T E P N U L N B U L O M W J
L H O I M O T R R S T F F N E X L S N Q F N H M K F
K P G N F D K P R E Q R Y P U Z W D D H M Z D H K D
R K R G E N E R G E T I C V C H Q L L W G V M O Q C
L M V L J L L G L A R G E L O W S E T E A R S K G K
```

AFFECTIONATE	GOLDEN LIVER COAT	RARE BREED
BARKING	GROOMING	RECTANGULAR BODY
BIRD FLUSHING	GUN DOG	RETRIEVING
CALM	HOWL	ROUND FEET
CHEERFUL	HUNTER	SPANIELS OF SUSSEX
DOCKED TAIL	LARGE LOW SET EARS	SPORTING GROUP
EASILY TRAINABLE	MUSCULAR	STEADY
EASYGOING	NEED EXERCISE	SUSSEX
ENERGETIC	PENDULOUS LIPS	SUSSEX SPANIEL
ENGLAND	PLAYFUL	TRACKING
FEATHERING TOES	POWERFUL GAIT	WATCH DOG
FRIENDLY	PROTECTIVE	WORKING DOG

VIZSLA

```
Q K L E K Q N T X C C N D H V M M M D N K P R F R B F
B D M W T C D Q N E V I T C A I H K D V R K K H R T K
B K A T D A O Y H H Y T P M Q D R P W Y X O H Q L X H
M V B E B O N M G L T K W G Q D L U N A V J B B G N J
T Z K A H Q C O P L L H Z F H L C O T W T G Q B C Q N
A Y T F R N Q K I A U Y T G D E B R Q T T C F X U R L
O M L Z W O A T E T N F J Y W A Q G E A R V H V F T H
C Y V T Z K N E D D C I E K Q G C G S L N M R D R G S
H X V Y T C N B L D T E O C Y E Z N I E M Z E Q O C N
T L Z P B Q Y L F I L A F N A S R I C N H H T F M G Y
O R Q M L H U K F M K Y I F J R B T R T K X N Q T H C
O T T N J F E R K I M M T L A A G R E E L K I R M U M
M K N T Y L M N Y T C W F T L J J O X D W M O V E N N
S H B A T N F N H A A N H S L G G P E P K L P G A G R
J G L N J N F V L R R E Z M O R R S D O R N N V S A Y
Q P E L T L T S L P A I X L M B R D E I R P A F I R R
H G C O B K Z O P T V R D M N N K T E N X M I N L I V
P P Q W V I R B T R V R U M C M F J N T B M R G Y A J
L Q T S V D H O A G U S T J T Y F J R E N H A J T N M
V C Q E S K L Y O S C A T F E E T N B R X Q G Y R V C
R M X T Y E G D T U R V L L N N V F L R C B N V A I F
N X K E R A N C L R Y K V S E N S I T I V E U G I Z X
D H M A M U O A X B T K Z H U N G A R Y L H H Z N S R
T F N R G A R Q R E T N U H C I T E G R E N E D A L D
J T R S T F R I E N D L Y R T L M L D X T N L J B A L
E Y E S B L E N D W I T H C O A T N W K J W H L L H M
D M L Z B T I A G T H G I L H C L R M K K L R Z E Z Z
```

ACTIVE	GRACEFUL	MUSCULAR
AFFECTIONATE	GUNDOG	NEED EXERCISE
BARON	HEAT TOLERANT	PLAYFUL
CAT FEET	HUNGARIAN POINTER	SENSITIVE
COMPANION	HUNGARIAN VIZSLA	SMOOTH COAT
DOCKED TAIL	HUNGARY	SPORTING GROUP
EASILY TRAINABLE	HUNTER	STUBBORN
ENERGETIC	LEAN HEAD	TALENTED POINTER
EYES BLEND WITH COAT	LIGHT GAIT	TIMID
FRIENDLY	LOW SET EARS	VIZSLA
GENTLE	MAGYAR VIZSLA	WARLORDS
GOLD RUST COAT	MIDDLE AGES	WATCH DOG

WEIMARANER

```
F Q Q N H Z Q K X E T A N O I T C E F F A Q B T M B D
G V D L T T Y P B X J L C K G A M E T R A I L I N G G
F Y R F T X V U N T W J E T V L B R G R A Y N O S E M
W E I M A R P O I N T E R N A C N O I N A P M O C Q Q
E A S I L Y T R A I N A B L E O T J H N N L Q C W Y D
P C G O D N U G M Y L K B Z D R C D T V H R T T D X L
N F M Q K K Z G T N N L T M N N G Y S L E E K C O A T
H Y T N Z V W N K N H K Y V D R G E A G K D X T N L Q
F T R R M D Y I N R R E T N U H Z K T R R H N Z G P R
N N D A V L T T O H L B L M A Z J T T I G C F L R G B
T G N M Z D P R I R M O J Q V M R Q Q Z C P W X A K D
W M Y B T O N O S E R C N L X C R J L T P E N L C F H
F Z F U I D E P S M N D N G L C V E I M B U V T E J N
P X M N T N E S E I Y H B K E K G A G B R N N Y F P V
D H T C W U D N R E F H X C N A G L E O L A N T U Z C
R E W T D H E P P W B D H G R S R D T J R M N R L B M
R L L I O H X M X F C N T Y S R F S G E F R T R H S K
E H H O C E E J E O M R T E T E E D L O M N E C L R B
V V R U K T R H D T N Q L M E V S O E L D N M A Y B T
I Q L S E S C J N R Y T L T O R T O P E A H I Z S L F
T X D K D R I Z I U R T V L H T D L C R P R C T N N G
C Q Z K T O S Z K O M R H Z A J A N A I T S U T M K G
E K C R A V E B F C J B K E B Y R M T D A B T N A J R
T D W J I W C F O Q D R H J F K I N L N B L M A D W B
O K Z T L C E B D L X R Y U W E V E M O K H D W E M N
R T Y J N H N K X R D F L P W B I T R B B L D O Z R N
P N H C K D V E R S A T I L E F T N Q K Y N M L G L G
```

AFFECTIONATE	GRAY COAT	PROTECTIVE
BOLD	GRAY NOSE	RAMBUNCTIOUS
COMPANION	GREAT SPEED	SLEEK COAT
COURT OF WEIMER	GUNDOG	SOCIAL DOG
DOCKED TAIL	HEAT TOLERANT	SPORTING GROUP
EASILY TRAINABLE	HUNTER	STUBBORN
EFFORTLESS GAIT	KIND EXPRESSION	VERSATILE
ENERGETIC	LONG EARS	WATCH DOG
FIELD TRIALS	LOVES TO RUN	WEBBED FEET
GAME TRAILING	NEED EXERCISE	WEIMARANER
GERMANY	PLAYFUL	WEIMAR POINTER
GRACEFUL	POINTER	W VORSTEHHUND

WELSH SPRINGER SPANIEL

```
V L O W S E T S H O R T E A R S G Z N R D T L Y P W K
X R N N Q L R S O F T E X P R E S S I O N E R R W K M
G T Y L Z L V H E A T T O L E R A N T L T E V V W C K
R A L N M V G W R M L R T N V P X N E M D H P O L N N
L O L N Q U N W L N R F T W J K O I L W C K U Q T H H
X C T V N G O D H C T A W M N R N P H L T L O L E E M
E T B D G S G J E F K P T N X A Y I U C R F R F S M D
N H O P N E M N L T K Z W E P M T D P L Q R G F O L H
G G K J I Y C Z I Z A B P S E E Y I L K A M G N P L P
L I N T V E R O D H X N R G C F N C A G F R N R R N O
I A M M E L M N L T S E O O N D D E Y V Z B I F U N W
S R W Z I A R L L D G U A I E B L N F C F N T A P K E
H T D T R V J X T N T T L P T B H D U N D F R M L G R
S S T B T O P T I L P O E F A C N G L O Y J O I L R F
P T C X E M P R I R N N L N D N E N K D R H P L A O U
R A W M R N P A O N D M I E B R B F A H D L S Y Z O L
I L M Z X S T T L E R A Q T R C I E F C U R Z O Y M S
N F H F W D E J N F R Y V K F A T B X A X N H R D I T
G V M F E C X T N T D L L B L S N L R T G X T I M N R
E K D K T Z T X Y B Q D K N T Y Y T K T X H T E M G I
R H C I X J F L G V B N R J T G L R M X X H D N R J D
H O V W Q B I T Q P B E F E N E R G E T I C N T T J E
D E F L K S N K B R K I S E L A W N K P Q X P E R M Q
X Z L N A G K L L Y H R R D W H F L Q J R K X D J Y Q
C L P E X P D F Z K L F C T K K P R A L U C S U M Z N
F C T E A S Y G O I N G G L E I N A P S R E B M U L C
T N D O M E D S K U L L X L F X T M V H W M W W G W N
```

AFFECTIONATE	FAMILY ORIENTED	POPULAR
ALL PURPOSE	FLAT STRAIGHT COAT	POWERFUL STRIDE
BIRD FLUSHING	FRIENDLY	PROTECTIVE
CLUMBER SPANIEL	GROOMING	RED WHITE COAT
COLD TOLERANT	GUN DOG	RETRIEVING
DEVOTED	HEAT TOLERANT	ROUND FEET
DOCKED TAIL	HUNTER	SOFT EXPRESSION
DOMED SKULL	INDEPENDENT	SPORTING GROUP
EASILY TRAINABLE	LOW SET SHORT EARS	STEADY
EASYGOING	MUSCULAR	WALES
ENERGETIC	OVAL EYES	WATCH DOG
ENGLISH SPRINGER	PLAYFUL	W SPRINGER SPANIEL

WIREHAIRED POINTING GRIFFON

```
R W Q M J Y M K P M H E L B A N I A R T Y L I S A E T F
B I M T Y L T R R H F N K O R T H A L S G R I F F O N R
P L K L F B K F V A F F E C T I O N A T E K N G X R R W
E L K L A T Q W R E T R I E V E R G T C P O R H N U D P
D I K G G C K Z H Z P L M E L B A I M A F F V Q S M W L
W N T X H G I Q W L R N X C F H T N B F R M M S W C L G
A G H N T V R M F E A G H J T R V J I G M Y I F O Q T N
R T E Y N V T L O Q B Y G N H K I R G S U A M M K G N P
D O S M A C F U C C L B O N N R G E L V N N P L Z M O P
K P U D R H Q F L L P M E L I G C A N S D A D M G Z I Y
O L P X E K L Y Z R M X M D N M I T E D N L T O E R S N
R E R M L P W A N T Z Z Q I F R O T R I L W P S G G S T
T A E K O R P L H T J D T C T E T O O K W Y I P N H E P
H S M K T O U P J R T N N D R E E N R G K C P W I M R O
A E E Q D T O M K T I W L N R K R T D G R Q K G B K P I
L X G W L E R N P O L E L W K K D T M E M B H H L T X N
S Q U M O C G R P W I Q D Y N L I K X T V S Q T L R E T
R K N T C T G W M F K R Q R J R L E G L E O P Q K D Y I
D M D M M I N K Z N Y J E F E F D C C T X L T R X O L N
C K O T T C I Y Y T N T Q L N E W N E R W W G E R C D G
H I G K N E T Q K X N R E Y E A G A X Z R K Y K D K N W
C K T B C X R H G I C S Z N T H R R N Q K L H V N E E G
J T K E B D O N O W S Q C C N S R F C J C G T N T D I R
L F L M G D P P Z G G N H M Q K B R O W N N O S E T R I
W T P D H R S F A K K D T K G K N L K N L L B N M A F F
M H M R L T E I M G O D N A L L O H M M V X R B J I J F
T N Q P D X T N W G M D T D W P T Z T T P P H M C L G O
C Z D V Z S E Y E D N U O R E G R A L N V L H N K D H N
```

AFFECTIONATE	FRANCE	POINTER
AMIABLE	FRIENDLY	POINTING W GRIFFON
BROWN NOSE	FRIENDLY EXPRESSION	PROTECTICE
COLD TOLERANT	GROOMING	RETRIEVER
COMICAL	GUNDOG	RUSSIAN SETTER
COMPANION	HIGH SET EARS	SPORTING GROUP
DEVOTED	HOLLAND	THE SUPREME GUNDOG
DOCKED TAIL	KORTHALS GRIFFON	TIRELESS GAIT
EASILY TRAINABLE	LARGE ROUND EYES	WATCH DOG
EDWARD KORTHALS	LOYAL	WEBBED FEET
ENERGETIC	NEED EXERCISE	WILLING TO PLEASE
FIELD TRIALS	PLAYFUL	W POINTING GRIFFON

The
Terrier
Group

AIREDALE TERRIER

```
N K B X J T C J N N K H G T N E G I L L E T N I C W V V
K O Y R E I R R E T Y E L G N I B K X M W B T Y J X H L
H T E J H L M G N M E N G L A N D O J W I R V W G J N R
R T A L L E S T T E R R I E R M Y N L F R B R W X P A E
J E B M B T J C M R K L F T D M N G N D E Z Y J R F G I
C R W H G A R M T E T C J G J M L L S C C M T N F N H R
Q H Z J F D N C D M L X L B O J M D L G O R F E J E E R
V U T N W E M I G N B B T X J O N B T C A M C H A I K E
R N F M G T K L A Q K F A X M U D T H N T T G D R G R T
A T P H B N U B L R F T R D O Q V M K K I N S R U B J E
I I U B Q E R P A X T Z Y H D R D G A O P T E A G X E D
R N O J I I V L T D T Y R G E I O C N N R T R M G H L I
B G R N D R C A N T G E L I O D B A J O N D G P Q M B S
R C G N T O L Y L M T E R I H D T J N T I E Q Q S T A R
E W R L Q Y G F D T X R R C S E E G P A M P R X T E I E
T L E D C L M U O M E B T H S A D C N M X T N S U V L T
S N I V N I K L C T Y A T N U R E D I D H R W X B I E A
A J R H K M H N E K W K W F E N A K M L N P G R B T R W
M K R Y F A P L B P C N R N B E T E X L O R G M O C Z N
N W E H N F A R Z Q T T M B T B D I D M T P L R R E T Z
O M T F M D N K L G H R V P Z P W E N E L J P Q N T Z K
I K L N E L L U K S T A L F G N O L X G P J Y T W O K Y
P C L R K T N T T K E M E R G E T I C E R A D T L R C N
M J I N Y L D N E I R F M R W K Z J X N R P H K M P H L
A A B M Z J T L K N H V V T F Q W D N N L C J S K Z G P
H V M C D M P F J M N L R G R O O M I N G N I X V F L Y
C Q N S R E I R R E T F O G N I K T M N G K W S X X G R
G L N C M M K D M K S M A L L R O U N D F E E T E Q M Z
```

AFFECTIONATE	GLUEING	POLICE DOG
AIREDALE TERRIER	GOOD MANNERS	PROTECTIVE
BADGER HUNTING	GROOMING	RELIABLE
BIDDABLE	GUARDIAN	SMALL ROUND FEET
BINGLEY TERRIER	HEADSTRONG	STUBBORN
BOLD	INTELLIGENT	TALLEST TERRIER
CHAMPION MASTER BRIAR	KING OF TERRIERS	TERRIER
EASILY TRAINABLE	LONG FLAT SKULL	TERRIER GROUP
EMERGETIC	NEED EXERCISE	V SHAPED EARS
ENGLAND	OTTERHOUNDS	WATCH DOG
FAMILY ORIENTED	OTTER HUNTING	WATERSIDE TERRIER
FRIENDLY	PLAYFUL	WIRE COAT

AMERICAN STAFFORDSHIRE TERRIER

```
P R A L U C S U M T T Y Z G N I T I A B L L U B D P R W
M A M E R I C A N B U L L T E R R I E R A L R T T Q W M
K E B N M B P F E N E R G E T I C R F F G C R X L L D D
M A S U K W X Y S H V Y P X V W Y N F N K R R K C K P T
G R H C L G Z T E J Z N H R Y B G E T N S T U B B O R N
G S O R D L O X R X T B K G M J C R Z M M F G J G R G M
N S R Z T C M C I R F M Q X C T Z B X G M K L N H D C R
V E T N K G L A H M T B J K I S T I P G N I T H G I F F
H T G Y L W W C S N D X B O E V I T C E T O R P T R B E
G H L T B J T Y D T N T N V N V W V V R B Y T S M C P A
W I O I V R N W R K I A K J X Q N H L C H B D M O R Z R
R G S L J H A B O R T F G G M R D W K T B I M M N E D L
D H S I C L R H F E B R F R N G L T R M K X P T N I D E
E V Y G L K E T F T M Z E K L U D O N H R A H W R R V S
T T C A X B L L A M R T T I F P W Q T D N D R X K R N S
N Q O R Z N O D T F F K I E R T L I G I K P J T L E E U
E D A G P Y T G S R M T C A S R W A O X U N N Q F T E N
I D T L A Y D C N M R A E U G D E N Y O J A G D T L D I
R W X L L N L K A I R K R N O Y D T R F R N R Z X L E T
O P T R Y D O B C G T T T O A N G G E E U T G M B U X E
Y Y O K T W C T I G L H G V T C R N L E M L Z N R B E D
L N M P D T M X R C O M G R K E I O I P K B T N J T R S
I X V L U G T N E L N D K I I N T O Z R Z N J T R I C T
M C L P D L C M M Y R Z H R F T B M U F P Y A P P P I A
A K L B T H A M A Q F T R C A G L M N S M S Z Y G L S T
F F P X X Q Z R T N L E M E T V O P N T D N J X G K E E
G N Q V N N T N X G T J H W G A B D T E R R I E R Z T S
V K P L P O W E R F U L J A W S W T L Y X M M T R N T L
```

AFFECTIONATE	FEARLESS	PROTECTIVE
AGILITY	FIGHTING PITS	SHORT GLOSSY COAT
AMERICAN BULL TERRIER	GOOD WITH KIDS	SPRINGY GAIT
AMERICAN STAFFORDSHIRE	GRACEFUL	STOCKY
BULLBAITING	HEAT TOLERANT	STUBBORN
BULL MASTIFF	LOYALTY	TENACIOUS
COLD TOLERANT	MUSCULAR	TERRIER
COMPANION	NEED EXERCISE	TERRIER GROUP
DOG FIGHTING	PIT BULL TERRIER	TRUSTWORTHY
EARS SET HIGH	PLAYFUL	UNITED STATES
ENERGETIC	POPULAR	WATCH DOG
FAMILY ORIENTED	POWERFUL JAWS	YANKEE TERRIER

AUSTRALIAN TERRIER

```
T V M L K L M G Y L D N E I R F Y P L K K Q B G K N T N
Z W W Y R W M P L L A F Q D E T N E I R O Y L I M A F C
X T G C R N C M M D G U B M R E I R R E T Y K L I S J H
L L C G K F J Y V Z Z N L L G B C O L D T O L E R A N T
G V O Z Y H T E T L D L U V V Z R E V E L C N K M T H X
N L Q N Z N N X B Z J O E P Y D X R R X D N R G N T X E
K Q H D G T E Q W X T V A L G X B R F C L P L A N K J A
C T Y G U S W E N R P I N A N P N E R Q J B R Q N S B R
F N E R O V T R D T F N D Y I N L I K F T E M R N E K T
N L O E L D Y R T E T G T F M M R R L P L T B T R Y V H
M U R Y F D H M O T X W A U O X Y R K O C F S E F E R D
S T F E H T D C F N I E N L O Q L E T Z T G I X G L R O
V A Z Z I H A M T R G G R X R Z M T N J I R K S T A N G
E O Y N G R T C E A X H X C G R A N J D R L T Y I V R T
S C F N N L R C L P W Q E D I E R A X E Z U Q N L O F R
A F P F X T O E L L V Y E A H S P I T J R N A U M K A I
E O J P L A N V T T A T N G D U E L T D T M N N I F M A
L O P Q T L L E B G A M M L O L A A Y E S T N J F E K L
P R M B J K C K I O N D S R X N Z R Q A R W B E Q R T S
O P M N Q L H T C D Z I G T O K K T T T F R C X F W L L
T R K Z X Z Y N C M E R K I Z Y H S X L Z T I X R V T N
S E N E R G E T I C E B T R T K C U N Y I K C E K L X F
T H L Y G K H X H I M A O M O D T A N O L F K Z R J M B
N T C K O F N F R F N M Y H X W N K N V R X M X C T L Z
A A F R F W T R M W C M W K L R G A A U S T R A L I A T
W E B M D F E B R J Q N H G I H T E S L I A T J K L P D
P W T T Z T R B C F M H Y Z L E J F R G F M R M T R P N
K Y H U N T S S M A L L V E R M I N L Y M C P M T H T H
```

ADVENTUROUS	FRIENDLY	SILKY TERRIER
AFFECTIONATE	FUN LOVING	SMALL CAT FEET
AUSTRALIA	GROOMING	STURDY
AUSTRALIAN TERRIER	HEAT TOLERANT	TAIL SET HIGH
BLUE AND TAN	HUNTS SMALL VERMIN	TASMANIA
BROKEN COATED	LONG STRONG HEAD	TERRIER
CLEVER	NATIONAL TERRIER	TERRIER GROUP
COLD TOLERANT	NEED EXERCISE	WANTS TO PLEASE
DIGS	OBEDIENT	WATCH DOG
EARTHDOG TRIALS	OVAL EYES	WEATHERPROOF COAT
ENERGETIC	PLAYFUL	WIRE COAT
FAMILY ORIENTED	QUIET	WORKING TERRIER

BEDLINGTON TERRIER

```
L R C N O R T H U M B E R L A N D E N E R G E T I C T
J R P H R R M Q Q N Y E L S N I A H P E S O J N J K L
W M U T H H A N G I N G E A R R W V X K K T D C Z T V
L N O Z R O T H B U R Y T E R R I E R M X H L H G P H
J B R F V G G H R N D J P R T M J F N F R L G Q X L G
T E G G H K R D G B G B G Q T E R C D Y U K D C L M H
R S R N A Y Y A F M B P B P G V E L O K Z D Q G Q T J
I A E I N D T R C L R K D T M O P F S M B Q J C M P K
A H I M N B I X L E L V C P H F D W E Q P X G L T Q M
N C R O Y R L M K N F A H Q X K O H R R T A C F P T T
G O R O H J I K K R F U R T R R Q E C M A D N M Z M N
U T E R I K G L G F R B L I A R I J G T L H E I M T Z
L S T G L R A F E L B Y A N R R W Z J C A N E E O W D
A E L T L P R C O E C H V P R X Y Y D F K W D G P N E
R V R T S B T Y D Y T T R E Y L D N E I R F E N S S M
E O L L F I A L W F I S T W N M H T N M H M X G E Y O
A L R K O L I R O A I N C P P K H U K Z X T E V Y Q N
R X B N Y N L S G L O P Q L N J K X N D R X R Z E V S
S H A T G B D T H T B T K X M K W X N T W Q C W D N T
V T T T M R H O G R J J X Y L Z P A M K E D I W N K R
E G O Y A G U N H K K H V R R M L L F X R R S D O N A
N N R H I E I W K T E I U Q Y G K K A T Y A E H M Y T
R M M L T L C F R Z Y M W M N N T Y J Y F H L R L J I
L Z K T D Y T K G C G N W E B T L Z M J F G Y U A M V
F Y E E A R T H D O G T R I A L S F X R P U C V P M E
W P B C L K M L A M B S C L O T H I N G W Y L Q T O W
T O N K P O T E S U F O R P W T V T V Y J C Y R F Y P
```

AFFECTIONATE	GROOMING	NEED EXERCISE
AGILITY	HANGING EAR	NORTHUMBERLAND
ALMOND EYES	HANNY HILLS	PLAYFUL
BEDLINGTON	HARD SOFT HAIR	POPULAR
BEDLINGTON TERRIER	HARE FEET	PROFUSE TOPKNOT
COMPANION	HUNTER	QUIET
DEMONSTRATIVE	JOSEPH AINSLEY	ROTHBURY TERRIER
EARTHDOG TRIALS	LAMBS CLOTHING	SILHOUETTE
ENERGETIC	LIGHT GAIT	SPEED
ENGLAND	LOVES TO CHASE	TERRIER GROUP
FRIENDLY	LOYAL	TRIANGULAR EARS
GRACEFUL	NAROW SKULL	WATCH DOG

BORDER TERRIER

```
S Q R T N N J L Q N N O I N A P M O C Q K L V D
D Q S G Y E F R O W R T J K K G M P R H N Q E R
I T R Z O E N G X N B M T Q M W U C H M G Y A E
K K A Y J D P R O V G K W T N O W M V M Q M R N
H Y E C V E K P X D X L G X R R R N P L T B T G
T W D H F X K C T J H Q E G V E B B N K L L H L
I D E A V E R Y A Y J C R G I I O D Y Q R K D A
W B P S J R J D N P D E T R S R Q M X W C T O N
D R A E L C Z D P F I Y R A D R K H H D P E G D
O N H Y N I I C O R G E A E W E Y W D Z K V T Q
O J S N Q S Y X R T T F R M F T Y L D N E I R F
G U V C P E B E E M F H D K X R J Z E C T T I D
B N C A O O T E K E U K Y K D E M L L G N I A A
W R T M L T F P C N G D X I C D Q Z B N E S L N
G C H T K L L T T L H N G H K R W Z A I D I S D
H L I U L P I A B L K S I P K O M F I M N U H I
H N Q A N O N T N W R X N K L B T R M O E Q T E
G C M K N T L K K D V B C K R A L T A O P N Q D
R S K A E N E R G E T I C F X A Y Z M R E I M I
K D T J X J C R L X V B B T D V B F R G D Q L N
R E E A S I L Y T R A I N A B L E L U N N Z C M
Z F P E S C A P E A R T I S T S L N Y L I N K O
V N N J B Q H N W E L Z Z U M T R O H S P M N N
T M N M K L G N I T T A R B I D D A B L E C H T
```

AFFECTIONATE	EARTHDOG TRIALS	LONG LEGS
AMIABLE	EASILY TRAINABLE	NEED EXERCISE
BARKING	ENERGETIC	PACK DOG
BIDDABLE	ENGLAND	PLAYFUL
BORDER HUNT	ESCAPE ARTISTS	RATTING
BORDER TERRIER	FOX BOLTING	SCOTLAND
BUSY	FRIENDLY	SHORT MUZZLE
CHASE	GOOD WITH KIDS	SMALL FEET
COMPANION	GROOMING	TERRIER
DANDIE DINMONT	HUNTER	TERRIER GROUP
DIGS	INDEPENDENT	V SHAPED EARS
DISPATCH	INQUISITIVE	WATCH DOG

BULL TERRIER

```
T S N V L R Q W R Z W G R R E I L A V A C E T I H W S
X U N X B G N N H T Q N G F E V I T C E T O R P D H T
K O D L K Y W M B H K I X O K Q D C Q L M K L F O J L
J I E N E R G E T I C S G K D V S N Z R V S G R M J S
N C D L K K X Z N R W I K T M H D E E C W F T X L X T
G A J L W M R P N R W T G L E Z C I I E Z H R L N N U
Y N T Q R H L T V Y V R D N Y E R T E V A T L Q I K B
N E W Z T A M M D Z V E N L I R F T A R O M F K M R B
Z T B L C R R P L K C V M L E T N T S W B M S L D N O
K K V I R N L P C T Y D M T Z A I H A Q K T R T Z E R
P T M T K M N V Q P L A L I T L C A G C H B N P P E N
P O W S N L P R H M A L L U S O P W B G F G J U W D H
C M G M D N M V K T U F R T A C H V I L L Z C O L E L
H D Q O P Y X P M B R E F T Q I H T Z Y L T X R V X C
G N Y O E N G L A N D B P E T F K I F L L U N G C E T
Z D K T X F M N M R I L M E C G D F E T N Q B R O R N
B A N H V Z W R K G A N E H N T I O M V L W X E M C A
R L T G C T K B B Y D N T O R T I J G P O T V I P I R
E M M A K K R O F F G P R N S G B O A F V U K R A S E
I A T I R T N U Y T R T M A Z K X N N M I N S R N E B
R T M T R E L Q E K S N M M R T X K R A E G H E I R U
R I M G D M X R R P Q L Z J V R G L N W T S H T O D X
E A H R E I R R E T L L U B H S I L G N E E H T N V E
T N R Y T I B L Z U F H B M V L B B N G J Y F I I K T
L M J M E Q K L B T J M J T K T B C K T R J J T N N M
C R M R N J Z N X D F K J W M T R V D E T O V E D K G
N D D F C A G I L E T Y A S S E R T I V E J Q X R H S
```

ADVERTISING	DEVOTED	SHORT HARSH COAT
AFFECTIONATE	DOG FIGHTING	SMOOTH GAIT
AGILE	ENERGETIC	STRONG
ASSERTIVE	ENGLAND	STUBBORN
BIG BONED	ENGLISH BULL TERRIER	SWEET NATURED
BULL BAITING	EXUBERANT	TENACIOUS
BULL MASTIFF	JAMES HINKS	TERRIER
BULL TERRIER	MISCHIEVOUS	TERRIER GROUP
CAT FEET	MOVIES	TIGHT SKIN
COMICAL	NEED EXERCISE	WATCH DOG
COMPANION	PLAYFUL	WHITE CAVALIER
DALMATIAN	PROTECTIVE	WHITE ENG TERRIER

CAIRN TERRIER

```
F S B N G W Z W G F N X D A N D I E D I N M O N T N
C E X G O D H C T A W F F I N S O T S E V O L J J B
N N M Q Z Y F S F N G B A R K I N G Z R R L K C K P
G S M K M X S K E Y K S D E R I A H T R O H S S F L
R I Z K K M C N J R H Z R V L C Z F J G S L G G G U
E T F P X D O F R V O Y H C Y S N M X K F I M T T C
T I Q G F G T R W N N L M F P Q C R Y X D Y R D T K
N V T C P W C E N P E W P I Z E N E R G E T I C H Y
U E N W Z H H I F E P A R X K F T T K R D F R K P X
H G W W W Q T R M N E I R A E E K C X N Q K L U V F
B L G W L R E R B K T D F T R D L O B X N L O N G L
P J H F E L R E M E R F E R H M L G B J J R G O V R
T K R V V R R T D X E X I X X D M R W B G Q O L Y Z
M C E R N B I N G C Q E R V E T O X M R C D M X Z O
X L H V C T E R T Y R G E G C R R G E J W B K X L F
C L N R I M R I T L G E I W N F C I T I Z Y V M L O
R D W L H T O A Y K Y N R M N I R I T R D P N T G D
S T W Q Z N I C K K C N R L C R M H S N I L N B G R
N C T I A N R S S K W B E X E O K O A E N A K J V A
K Y R T R Y W F I J Z Q T T R I T L O M C Y L P R Z
Y D E A Z E O M J U Y B G N D T T O N R F F R S K I
G R L K P E C L K N Q K N S D O P B T T G U R V R W
R A Y W L P T O T J Y N K M C R K L F M T L K Z N D
G H T S N H Y Q A J T G I S T Y M I D D L E A G E S
D F I K Q N R B C T L S T U B B O R N T Y Z N N G B
T N H T H A R D H A I R E D T E R R I E R L Q G K B
```

AFFECTIONATE	HARD HAIRED TERRIER	SCRAPPY
BARKING	HARDY	SENSITIVE
BOLD	HUNTER	SHORT HAIRED SKYE
CAIRN TERRIER	INQUISITIVE	SKYE TERRIER
CLEVER	ISLE OF SKYE	SPIRITED
DANDIE DINMONT	LOVES TO SNIFF	STUBBORN
DIGS	MIDDLE AGES	TERRIER
EARTHDOG TRIALS	NEED EXERCISE	TERRIER GROUP
ENERGETIC	PLAYFUL	TOTO
EXPLORES	PLUCKY	WATCH DOG
GOOD WITH KIDS	SCOTCH TERRIER	WIRE COAT
GROOMING	SCOTLAND	WIZARD OF OZ

DANDIE DINMONT TERRIER

```
K Z D T N S R E T T O G N I L L I K K M W J A T C K
F V R Y R O L S C O T C H T E R R I E R X F S L Q J
G R H A N G I N G L O W E A R S C T T B F E R R R L
Q O E Z R Z N N Y L D N E I R F R B B E Y E K M G M
T H D E B C T W A E N E R G E T I C C E I K F G N B
B W G H G T L R H P B G X D J T P T E R P X G Y K M
G V M U C A N C K G M B T A T D I G R M P B U P M M
K F V C E T I M L Y C O M R T O R E R T E M Y S P J
T L A Y O L A T T N W E C R N A T O N B E D M I U N
W B G T F M C W R T S P K A L T U E E M L D A E O E
J H R X N N C T M D H T T Y N G D A G K D G N S R E
T D I G S L G N A T R E Y O H N R M B V N N N F G D
N F K N V T B V L C Y T M A E T E F P K I I E A R E
E F X Y R T I B J T N N N P H S X Z R R H M R R E X
G K K Y B D N K E A I D E D X C P B D K N O I M I E
I Y B T S T M E R D T D O R M O L M P N K O N E R R
L K T O X W F E E U N G N M G T O C M L V R G R R C
L L N Q K D L I M I T M R C L L R R N M A G L S E I
E Z C N N O D B Z R E F L R K A E V L C B Y H C T S
T R M U T N L F I R W N Y G Z N S X J T B K F K T E
N D O D A E J A Q X Q K G T R D F N G H W N Q U D K
I R L D F V L H E A T T O L E R A N T Z U K P M L L
K O R M M S M X J B M L K L A V N N Z K Q N H F K Z
C T A R R A N D P E P P E R K N K B L L J R T H N P
G J T T O C S R E T L A W R I S D L G K N M T E N R
L K C Y T Q P E P P E R A N D M U S T A R D W J R N
```

AFFECTIONATE	GROOMING	LOYAL
CATCLEUGH	GUY MANNERING	NEED EXERCISE
COLD TOLERANT	GYPSIES FARMERS	PEPPER AND MUSTARD
COMPANION	HANGING LOW EARS	PLAYFUL
DANDIE DINMONT TERRIER	HEAT TOLERANT	ROUGH AND TUMBLE
DIGS	HINDLEE	ROUND FEET
EARTHDOG TRIALS	HUNTER	SCOTCH TERRIER
ENERGETIC	INDEPENDENT	SCOTLAND
ENGLAND	INTELLIGENT	SIR WALTER SCOTT
EXPLORES	JAMES DAVIDSON	TARR AND PEPPER
FREE GAIT	KILLING OTTERS	TERRIER GROUP
FRIENDLY	LARGE EYES	WATCH DOG

FOX TERRIER (SMOOTH)

```
M S E Y E T E S P E E D T D Z P R Q M R R M N F G Q B
K C A N K N V Y M J X P R E L M T Z F T T A L V C Z J
L E M D L N R S R K C X A X R O R P M Y T A T G G N Q
O W L H V M K X H H J R P E P A B T Q D T R A N M R M
V D H B B E Q V J A T B I F F J D N N S Q R O Z F R S
E B R J A Y N D Y H P R L F X N B A K T P T C K O T P
S X M G J N N T D D R E E M M L K U L L U J D G X I O
T V L J T K I O U E J C D L P C L Y D P O M R Y B A R
O L R Z R N G A T R T C U E A L G I K P R F A R O G T
C T X L K T E L R I O F X L A R G C R H G F H L L G I
H F W J R G M E O T R U B M R R C T C X R H T H T N N
A F R I M D V N D E Y W S J B H S J V B E Q A Y I I G
S L A R C P A V W E Y L D N E I R F H S I L L T N T B
E L F Q P T R O H Z X T I C N F N M U R R N F S G T R
S D D L E D P W J F P E D S V V M O R J R M G I W O E
R D E E N E R G E T I C R N A E V Q B J E X O E B R E
E L C V E M D X P K R C V C U E R M K Y T T D F C T D
I N N D J P M Y D E T K F R I O D M B R L K H B J J N
R K A F K R S D I R R K K H N S H P I N Z N C V V V K
R K R Y P Z L R K C P K C Y M N E Y R N N N T P M T B
E H U B F K R V P T H S M M R Y X N E C H G A J L H C
T K D B X E G N L B I K R A B Y H T Z R X U W K X T Z
L K N L T J F L A M N M P K R D C R H R G P N C M N L
L N E X T L R L Y N E V I T I S I U Q N I H K T X D B
U L O W T M X X F T E N G L A N D Y Z K W X M M I R L
B F M L V M N V U R B I N D E P E N D E N T N W X N L
Z P K Y G L H Y L R G Z W Q C O M P A C T F E E T R G
```

ADVENTUROUS	ENERGETIC	MISCHIEVOUS
AFFECTIONATE	ENGLAND	NEED EXERCISE
BARK	FEISTY	PLAYFUL
BLACK AND TAN	FLAT HARD COAT	POWERFUL
BOLD	FLAT SKULL	SPEED
BULL TERRIER	FOX BOLTING	SPORTING BREED
COMPACT FEET	FOX TERRIER	TERRIER
DEEP SET EYES	FRIENDLY	TERRIER GROUP
DIG	GREYHOUND	TROTTING GAIT
EARTHDOG TRIALS	INDEPENDENT	VERMIN HUNTING
EASILY TRAINABLE	INQUISITIVE	V SHAPED EARS
ENDURANCE	LOVES TO CHASE	WATCH DOG

FOX TERRIER (WIRE)

```
M K Y G I D Q Y C K Y C J D Z D V B Y N W D L G R V X
T L B L B R Q L L C N C E N D U R A N C E D P T Y D E
L P T E E F D N U O R T C A P M O C G W B E L J V P L
R E I R R E T N A T K C A L B D Z L T T P N A Z X Y B
K J W M R T E R R I E R V J B K D M H L U S Y C R P A
L R D G B Z R M L M N T G N I M O O R G O E F D T P N
F Q D Z V B J K V G D F H L W R F B J P R W U K W A I
T I A G G N I T T O R T M V P N G V Y G G I L Y J R A
S L A I R T G O D H T R A E R C M H W Z R R V R Q C R
L L N C F M R P N H H V Z P C W R Q K Z E E J M S S T
G P L R T S E V D E S U R R Y K I K P Y I C L V U T Y
K D O R T R E K B H E E N L K N J A Z N R O M E O A L
Z N L W O H L Y A R I D D T D N F B T D R A I R R O I
K N L L E R X P E R K N E E E F X M K R E T S M U C S
R V P Q K R E L R T E X P X E R F T F R T Y C I T R A
E X R H P D F E T I E E N C E R L O W N A H H N N E E
E N K E E T T U R P N S T D N R X R R C T B I H E T M
V L G A R X G F L D C I P R K B C G V L Z N E U V U R
L T R L O I K K E C O G F E O C G I L X K T V N D O Z
P S C F A D W N K N T R O L E D R U S M M M O T A D R
C L Y Y E N T E A B N D T D K D K L N E W G U I V E G
D W T E L W D T V K K I K J H S M H G N C Z S N Q L L
K J P N G X E T M I N R M X T C Z J V X Y M V G D K T
X S P N X M C J T G L M L A Y H T K T R T M F Z L N Y
K B E N E R G E T I C T L N K L Q A D D R Z K K B I Z
K C F M R X M W R T Y F G Q M Z K F W M M H H Z X R P
Q J R F K C D C D T X D D L O V E S T O C H A S E C W
```

ADVENTUROUS	ENERGETIC	MISCHIEVOUS
AFFECTIONATE	ENGLAND	NEED EXERCISE
BARK	EXPLORE	PLAYFUL
BLACK TAN TERRIER	FLAT SKULL	POWERFUL
COMPACT ROUND FEET	FOX BOLTING	SCRAPPY
CRINKLED OUTER COAT	FOX TERRIER	SPEED
DEEP SET EYES	FRIENDLY	TERRIER
DENSE WIRE COAT	GROOMING	TERRIER GROUP
DIG	HUNTER	TROTTING GAIT
EARTHDOG TRIALS	INDEPENDENT	VERMIN HUNTING
EASILY TRAINABLE	LIVE WIRE	V SHAPED EARS
ENDURANCE	LOVES TO CHASE	WATCH DOG

IRISH TERRIER

```
S R A E D E P A H S V E S A H C O T S E V O L
C O M P A N I O N N K L D F G T N R Z B R Y K
N I R I S H R E D T E R R I E R J W L K E Y R
C E X I N V R F A P B G D T M M A F R N I L H
T X E W N J E G Y Y X E T V L T R P E Y R J U
N X H D L Q I R C K L M R W C C H N I M R P N
G C T C E L U V M L L D R H R L X V R D E I T
G N F V I X D I I I N A D B D J C Z R K T N E
N M I T E L E W S A N O Y H L B G D E E C D R
I R Y M O X G R L I G H D O L C O Y T N K E K
N L L B O N P E C L T R U P L C Z M H E P P D
I C L C O O R L R I T I U N K J F Z S R T E N
A T L R V I R Q O C S O V E T M J A I G X N R
T L T I L M Q G M R R E D E E I D L R E H D A
R S W N V J C D Z G E T L S L V N D I T Z E R
E V I T C E T O R P A S S L E B M G R I P N E
T L R B J L D E P I T E G N M M C H Y C M T V
N J Y B R C I E L D N T T R H P V F N X V N R
E Q C N Q R N J R G T U V Q S L E N I T N E S
L T O T R M P K E A R W K B A Z R Z D X M R R
N R A E Z L N R D O D Y H R R T P L A Y F U L
D B T R D L X C U K N C B M B Z K M N D M D J
Y F L N R A S S E R T I V E L Z F F R R M J N
```

ADVENTUROUS
AGILITY
ASSERTIVE
BOLD
BRASH
COMPANION
DAREDEVIL
DOCKED TAIL
ENERGETIC
ENTERTAINING
EXPLORES

GROOMING
HUNTER
INDEPENDENT
INQUISITIVE
IRELAND
IRISH RED TERRIER
IRISH TERRIER
LOVES TO CHASE
LOYAL
MESSENGER
NEED EXERCISE

PLAYFUL
PROTECTIVE
RARE
SENTINEL
STRONGWILLED
TERRIER
TERRIER GROUP
VERMIN HUNTING
V SHAPED EARS
WATCH DOG
WIRY COAT

JACK RUSSELL TERRIER

```
L B J T Z K J M N Q N Y N X G S U O R U T N E V D A L
G D Y L D M T L L O V E S T O C H A S E E Q K G L P G
L B S L A I R T G O D H T R A E M F K A N P T H B M K
G W L J K C G J M V G V M L F V J E S Z O X P N R U Z
N Q T K Q G L P V G M Q D N Z V B I D P Q F V O H R K
K N T T T B R L X T E E F T A C L K U I C R S I M T T
R T N N T Y N G R R R X T R T Y C L V P A E F T W V I
R H P G D T H J N N R T N B T Q A R M U R M N C J H A
L G D B G D C T H I N H E R D R E L X O M H C A R M G
R T E R R I E R W M N F A K Q I W P L R P D L S R T Y
T E R W D H N S I Z I I M V R H A P R G G L D I K K L
S B T N I H X S R L N T A R W R X V Z R G F Y E T H E
M G L N G B C Y F A C T E T S E W V M E M P X R L F V
Y R E F U H K O B P E T S O R M T L D I M M L E R O I
K E T L I H L L Q N L D N C G E X R V R R G B H L X L
H C N E G L E L K L C J E N R N T N R R P O D T D B R
T T F G U N R D E K A Y I P N A R N K E R D N E E O B
E F N F L M O S M C N M N N A R P R E T N H M R V L A
Q V K P C A S L K T O K B G C H C P R G K C F E O T R
J D I C L U N R F O W D F W N L S P Y C C T R H N I K
D Q T T R A U D R K W T L K F T N V P N V A B W S N I
Z N N K C S Y G K E T A N O I T C E F F A W X M H G N
T N C W S E W F C T W X Q R F X M E N E R G E T I C G
Z A L E J N T W U R K F L L Z L R C C T L Q L R R L R
J T L Z C N H O N L L N Z Z K M G C W N T F Z W E Q C
M L T C W M R M R M I S C E L L A N E O U S C L A S S
T L G J R K K K L P R K S E T H I G H T A I L R V N F
```

ADVENTUROUS	FOX BOLTING	PARSON JACK RUSSELL
AFFECTIONATE	FULL OF LIFE	PLAYFUL
BARKING	GROOMING	POPULAR
CAT FEET	HUNTER	PROTECTIVE
DEVONSHIRE	JACK RUSSELL TERRIER	SCRAPPY
DIG	JRT	SET HIGH TAIL
EARTHDOG TRIALS	LIVELY GAIT	TERRIER
EASILY TRAINABLE	LONG LEGS	TERRIER GROUP
ENERGETIC	LOVES TO CHASE	TRUMP
ENGLAND	MEDIA	V SHAPED EARS
ENTERTAINING	MISCELLANEOUS CLASS	WATCH DOG
EXPLORES	MISCHIEF	WHERE THERE IS ACTION

KERRY BLUE TERRIER

```
C R N K W E L L M A N N E R E D K M M K Z N Y K N K
J R Q E W A T E R R E T R I E V E R G O D H C T A W
K T K T E X R V K L Y R R E K F O G N I R H X M B V
I F C B M D V A X T T E R X V P N H K N J Z P C D R
R Z R A Q C E G T P A R V L J A T H L E T I C N C K
I P G R F T T X V T F O Y I S F P K N H Z W A H R D
S U N K Y H T K E T I K C T T J C L T N K L K P C N
H O I C X X R L L R V N U Y P C H B R P E R Y W R D
B R M T G C A P M T C B G T A B E Q Z R N Q Z E M R
L G O E J C I G H B B I B N Y R G T I Y Q C I K A L
U R O L Z D L K L O K V S X G T G K O V L R T F M D
E E R I T R I D R P X W Q E R N E K R R T F V M M
T I G T H T N N V N X B J E T O I L U E P E R P K R
E R R A R E G Y N W D R T R W N T V T L C C L L T E
R R A S X Q R Z M K T R R E R M E E O T B J Q A J S
R E L R M W V D M D I L C Q F B U D I L Y C X Y W A
I T U E T Q M B I E H I Y T G L V O N H N V J F Q H
E T C V P T Z B V N L B V U B Y N G Q E Y U R U T C
R N S L L N J E V O G Z A Y Z A M K R H P D F L R O
T C U Y E D R X P F F R R L T T B P W G Y E Q K W T
K Q M K L V M K D T D R D E Y T L N I D H X D R N S
R L Z F R X E T N I E T H G R Q N D N L P P Y N K E
W R H H C N P R A K V T G G K Z P I P N K Q L T I V
L Y Y D N D C N T E R R I E R P K L Y B F V D M L O
K F E N E R G E T I C J K D E G G E L G N O L K W L
T L M N O I N A P M O C F H Z T R X H M K V Y V M W
```

AFFECTIONATE
ATHLETIC
BARK
BLUE GRAY COAT
CLEVER
COMPANION
DIG
ENERGETIC
FUN LOVING
GROOMING
GUARDIAN
HERDING

INDEPENDENT
IRELAND
IRISH BLUE TERRIER
KERRY BLUE TERRIER
KIND
LONG LEGGED
LOVES TO CHASE
MUSCULAR
NEED EXERCISE
PLAYFUL
POLICE WORK
PROTECTIVE

RATTING
RETRIEVER
RING OF KERRY
STUBBORN
TERRIER
TERRIER GROUP
TRAILING
VERSATILE
WATCH DOG
WATER RETRIEVER
WELL MANNERED

LAKELAND TERRIER

```
H N L X N W A T C H D O G S M O O T H G A I T K T V Y
V N U C B Q L M V L L C I T E G R E N E C J L E K P M
M R F M Q E L T E R W A T E R T R F L E F B A C R V L
T E Y M K E G S R A E D E P A H S V T D H R R N F G Z
L I A C C N N T T T T T T O N C F A D U T P F Q N H W
P R L T T H K G K R J X C R K M N M N H K O H I B R J
K R P Z X T K K L V V E M M M O M T D R X Q N W E D F
D E S R E M R A F A L F J G I T E O W T K I D I N F X
K T B R T C H P T B N B P T J R G R E Y A V R K X N K
H N L P W K M U U H C D C T N T M R V T J R P H M V G
K O O C P N N O H M M E H E R J R R R B E T Z B P N V
J T V J X B D R T X F C R I S I Y E D T M F T D N C G
P G E C M B D G M F H M A W E I T R D R L Q N W G K T
X N S K B O A R A B P L L R G N C N R L G P T Z Q D E
L I T J B R E E V S S C T A E R A R E Z T G V R G T L
M L O F P D H I E H E J L N K L O F E R E V E L C N A
C D C Z L E R R R V M Y P W E E F O N X C F V Z N Y D
U E H N C R A R M X L H E K I D L J M T E R R I E R R
M B A Q R T L E I S B N A L R R N A N I L D L F K X E
B J S F N E U T N N G L J N A S E E N T N Z E J J B T
E G E L R R G R H X K O M X P V L C P D X G P E T L T
R Y L Z O R N N U G J T D U B D O K O E R T V N N L A
L C V N B I A T N J M H N E X V V L N A D E R L Z T P
A R F L B E T H T M F K D B M T Z L L Y T N G F Q K R
N L Q C U R C P I D Y N P M W A F R C A B F I I M J T
D D Q T T N E J N L N R Q H R R G W R V M F X C O N V
R Q Q N S L R M G S E N S I T I V E K T M S N K V N V
```

AFFECTIONATE	FELL	RECTANGULAR HEAD
BEDLINGTON TERRIER	FOX TERRIER	SENSITIVE
BORDER TERRIER	GAME DOGS	SMALL OVAL EYES
CLEVER	GROOMING	SMOOTH GAIT
CUMBERLAND	HUNTER	SPUNKY
DOUBLE COAT	INDEPENDENT	STUBBORN
EARTHDOG TRIALS	LAKELAND REGION	TERRIER
ELTERWATER	LAKELAND TERRIER	TERRIER GROUP
ENERGETIC	LOVES TO CHASE	VERMIN HUNTING
ENGLAND	NEED EXERCISE	V SHAPED EARS
ENTERTAINING	PATTERDALE	WATCH DOG
FARMERS	PLAYFUL	WIRE COAT

MANCHESTER TERRIER

```
B L Q P K X W C A T L I K E M K R N K M M S N J L T
K M R E I R R E T N A T K C A L B K W K L R S D Z Y
N D E T N E I R O Y L I M A F X Y R R E E P M M M R
L K R N T W N L L F V L P L A T R R E I M U O K K E
W N Z V Y G O D H C T A W T I L V K R V B O O W S W
L B L A C K T A N C O A T L J B E R L H B R T X E O
R K H M F E K N L I Q K I H B K E R J Z H G H N Y P
P N K M T W N K A Y N G B Y W T D S T D F R G D E S
E N E R G E T I C R A D L B R R T N Z Y G E L C D U
T W R M H P B N L W E I E E R A M F C K J I O L N O
V H N C N N K T R P A L T P N X M H Q P G R S E O R
D J M L O Q N T L T O S O D E V M K C N L R S A M U
M G V F L M Z E D N E T A T L N T J I P V E Y N L T
M V Q P W Y P E E H P R D R T A D D D G P T C C A N
C B F L N P R A C D D W L E F A E E M K L R O W L E
T M L T F E T N C N E D N F H E E R N L A T A Q L V
A G H C P J A R O T E X E Y R C F H N T Y F T K A D
C C N A M M Q I V V Q C E B Y G R R F W F R P L M A
T M T I F K N R O P T M R R D Z I A D P U Y G W S P
I N K Y P A R T L I B E N H C V H D Q R L T Z P J T
V D W T P P E G O N T F F M R I Q F P M T Y N D Y C
E M D M N D O N W N K R A L U C S U M T N B P H O Q
J T O W L K A R I Y H W X T R J P E Z R F H Z L T J
G C W T G T R X C M E F F O R T L E S S G A I T R F
K T N M E B P W C M T T R W L N N R M D B P N T G N
M R D E R E N N A M L L E W K L K S E N S I T I V E
```

ACTIVE	CROPPING	PLAYFUL
ADVENTUROUS	DEVOTED	POWER
AFFECTIONATE	DIG	SENSITIVE
AGILITY	EFFORTLESS GAIT	SLEEK
ALERT	ENERGETIC	SMALL ALMOND EYES
ARCHED TOPLINE	FAMILY ORIENTED	SMOOTH GLOSSY COAT
BLACK TAN COAT	HEAT TOLERANT	STANDARD
BLACK TAN TERRIER	INDEPENDENT	TAPERED TAIL
CATLIKE	INTERBREEDING	TERRIER GROUP
CLEAN	MANCHESTER TERRIER	TOY
COMPACT	MUSCULAR	WATCH DOG
COMPANION	NEED EXERCISE	WELL MANNERED

MINIATURE BULL TERRIER

```
D N Y H M F H P L D W F V F H F D J N C O M I C A L
R R H U M O R M B R R P F D N W R X M K L H Z P H R
L O E F Y R V V R N A I M K E E P N N W T M M O B K
O B K T L K K G G R T T K B I T U F T Q D W I W B R
V B R J A M D G P S Q L T R T L O N B N O V S E S R
E U P E T N Q A A Z G W R I C K R V X R G L C R E T
S T T T I T O M E Y T E T R N C G M E M F N H F T I
T S R N G R L I L H T J T N Z G R N H D I Y I U A A
O X L Z N L R D T D P N K E Z E E K Y N G T E L G G
P V T N U I N E O C E E A V N J I P K C H E V B I Y
L F T B X E K O T D E R E E V K R R M X T E O U T S
A L L T I M W S N L T F R D L M R N K L I F U I S A
Y Q T R Z R K E T H L G F K G J E F B M N T S L E E
N M F V E D P W D H E U L A L N T T N L G A P T V E
M M J V R E W O D T G P B K D F O N K D L C N M N E
P V O K D Y G C I L X I M Z D F W L Z T I N R R I R
P C R N M T T C N X Y T T R L F Z M O R Q G C J J F
B R I W R E I R R E T L L U B E R U T A I N I M Y T
P J O I M G M Q W M L Z N D W G G M H M J K C L N A
M L A T R R R J U M H L Y T J H P H R M P N N P F O
C L A N E C B S S W A J G N O R T S N J G F D B N C
S N C Y K C C F T A O C T A L F H S R A H F Z F N E
X R K H F U T N H T C R T E S I C R E X E D E E N T
T Z R Q L U N I E N G L A N D Y Z K J N V K R V Q I
J Y P A W M L Q V D T G N W A T C H D O G M N V L H
L V R N F Z L M X E W L H Z N W O L C T E E W S R W
```

AFFECTIONATE
BULL MASTIFF
BULL TERRIER
CAT FEET
COMICAL
COVERWOOD TERRIER
DEVOTED
DIG
DOG FIGHTING
EARTHDOG TRIALS
ENERGETIC
ENGLAND

FREE EASY GAIT
FRIENDLY
HARSH FLAT COAT
HUMOR
INDEPENDENT
INVESTIGATES
LONG DEEP HEAD
LOVES TO PLAY
MINIATURE BULL TERRIER
MISCHIEVOUS
MUSCULAR
NEED EXERCISE

PLAYFUL
POWERFUL BUILT
PROTECTIVE
RATTING
STRONG JAWS
STUBBORN
SWEET CLOWN
TERRIER GROUP
TIGHT SKIN
TOUGH
WATCH DOG
WHITE COAT

MINIATURE SCHNAUZER

```
T X T S B C B M R D L I K E S C H I L D R E N R C Y X
K K L E N K R N F V V F N T D V S H A P E D E A R S Y
K M I Y Y R E X R A F F E C T I O N A T E F Q G T Y Z
R F U E B L Z P X O R N L D V F G M Q M B R E V E L C
F J B T N M U M K W B M T W X Q Q N K Z M H V X T H G
K L Y E L E A K P W X B D X V G E R M A N Y M T R S M
Q T D S D L N R Q M J P U O X F H H V E X M B E M P C
K E R P W B H G B H C L Q T G K F H S R X Q Z A K U T
H A U E L A C B L Q K U Y D S K C I K E W U L N C O H
P S T E L D S T Y P C F M Y C K C H A E A L R T V R N
V I S D R D D N T W J Y G M M R B R L N B V A N N G R
T L N Y A I R J L L X A R H E M T L H E B O P M F R M
D Y G G T B A L H P K L J X M H M C A F C L N P R E T
A T V Q T J D J N C Z P E N D A S R T Y R F Y M K I M
F R P Z I Y N G X M T D P O N E D X R G N I M O O R G
F A C M N M A Z Y H E L G N R P E I C L R D E R L R H
E I O V G B T J W E G T E U H V W Q L I X A N N Q E T
N N M F K Q S A N T R R T S I L T T K C T L L F D T K
P A P H K X T Z R I E A R T P H Y A T R J E R U X L Z
I B A L L C M G A D I R I D Q U Z K O H L H G R P W Y
N L N F H P X L R N N S R P K L N M K C L K Z R M O K
S E I D K F S N I Q I R N I J P W K F T E Z C J E M P
C V O K F Z T M F U T T J Y E K K K Y P A L E R T N B
H G N L P M L H Q K R P K L V R D M C L H L B K L M E
E F P J J L P N R R E Z U A N H C S G R E W Z U T J V
R T W R Z F I A D E T N E I R O Y L I M A F L C O T Y
Z K Q J P L B F Q R V N K L V P L Q C N N T L L X D T
```

AFFECTIONATE	FAMILY ORIENTED	SMALL BEARD
AFFENPINSCHER	FARM DOG	SPUNKY
ALERT	FRIENDLY	STANDARD SCHNAUZER
BARK	GERMANY	STUBBORN
BIDDABLE	GROOMING	STURDY BUILT
CLEVER	INQUISITIVE	TERRIER
COMPANION	LIKES CHILDREN	TERRIER GROUP
DEEP SET EYES	MINIATURE SCHNAUZER	V SHAPED EARS
DOUBLE COAT	NEED EXERCISE	WATCH DOG
EARTHDOG TRIALS	PLAYFUL	WELL MANNERED
EASILY TRAINABLE	POPULAR	WIRY COAT
ENERGETIC	RATTING	ZWERGSCHNAUZER

NORFOLK TERRIER

```
L T R Q B T C A P M O C C F Y L E W V E R M B
N W X N P V C W Z R Z Y R X M G I F P V E W J
M N I G O D H C T A W I M J V R F O L I I K K
M B L R Z N N W J N E K H K M N C X A T R R N
C Z R M E B D Z R N E U Y B R E A B Y I R D T
W I T A M C B T D E N E R V A Z M O F S E E D
D J N J T N O L A T I X D R K L S L U I T M E
E S Y D H T Y A E O D R T E H H S T L U K O T
L K R G E P I R T N C H R C X C I I F Q L N N
B Z Z O L P S N A W D E E E P E M N Q N O Q E
A K D F T K E L G O X L L U T B R G W I F Y I
N V Y G F A G N G X B F O B Y H B C K C R N R
I S X V N N G T D A R R L P U B C R I C O R O
A H R U E V R I I E G L P Q H O L I W S N V Y
R A F W F I G M T R N A K K G I D I W M E W L
T P J M A Y A G E S R T M L C M D K R R Z R I
Y E D L G N D I N C E N E R G E T I C E O M M
L D S L J X R X S I H V W M S R T T W V M N A
I E T N O R G V K P M J N K Q H W M K E D T F
S A R Z E B Z L T Y G O U I J C G T L L R W G
A R P T R R K J B F M L O N H G F F T C C R Q
E S J Y T S I E F V L S T R O N G W I L L E D
F Z S T U B B O R N C C H H G T E R R I E R L
```

AMIABLE	FEISTY	NORWICH TERRIER
BOLD	FOX BOLTING	PLAYFUL
CLEVER	FRIENDLY	RATTING
COMPACT	FUN	SCRAPPY
DEMON	GROOMING	STRONG WILLED
DIG	HUNTERS	STUBBORN
DOUBLE COAT	INDEPENDENT	TERRIER
EARTHDOG TRIALS	INQUISITIVE	TERRIER GROUP
EASILY TRAINABLE	INVESTIGATORS	V SHAPED EARS
ENERGETIC	MISS MACFIE	WATCH DOG
ENGLAND	NEED EXERCISE	WIDE SKULL
FAMILY ORIENTED	NORFOLK TERRIER	WIRE COAT

NORWICH TERRIER

```
H C H M R G T Q G J T L K R K G F J D V D R H M R L K T
V A Y N O I T R O P O R P E R A U Q S K Y X R V E L G L
J M P E D P O L R D P C C C M D X Y J P R N N R I G C U
R B D A J O C Q L T Z T J R T B L M F B A L K H R T L F
H R X S M R E I R R E T K L O F R O N R T V M L R K Q Y
H I R I Y B P K K Y J F V F W V L M L M T R L R E L F A
T D N L X B R K K X Z P O J R X L K R K I P W P T R P L
W G B Y P P N T D W E X C L M L Y E G N N J X X H M B P
C E Q T H R Y Q Y O B V I E B K S K F N G G N W C Y R P
P U S R T Z I T F O C A I K N I V B C R N L G M I G W N
O N U A E B L C L J T K G T C G R B C O I L L Y W Z Q R
I I O I E M F T K G Y B E R C D L L R I T E W T R Z E E
N V R N T K I M N E T P E D R E Q A K L T S N F O T L I
T E U A E N M O N F A X B O T N T L N Z M E M D N H P R
E R T B G W L M T T E R P A G A K O L D C L G U L U J R
D S N L R M Y L D D N E S B T T I V R R Z L H R O Y D E
T I E E A Z B B E D A P M S M N G L R P G G Y R E X W T
I T V H L R Q E P R C C G X K D A C J B Z R G K N N D N
P Y D B N N N Q S R K A B Q T Q H C V Z Y R P K O K E O
E Q A R J K S L A I R T G O D H T R A E E H V V N B J T
A G O D H C T A W J T W W D R V Y D M I J F A Z G N M G
R J R L L R C K N L Z T E R R I E R R L H L T T M T R N
S N C Y D R U T S N T N N K G H C R M B E H P R H N W I
R H N Q B R O A D S K U L L L W E C T Y R K T H Y K Q P
K F X K L Z T J X X D R G Y Q T M B E M N R J W M J M M
R N Z M N K R G G C J Z M Y L R L S Z R H L K N X F Y U
X R L L Q M D L J O N E S T E R R I E R M R F P M L Z R
K H G R L A F F E C T I O N A T E K D O U B L E C O A T
```

ADVENTUROUS
AFFECTIONATE
BROAD SKULL
CAMBRIDGE UNIVERSITY
CANTAB
DOCKED TAIL
DOUBLE COAT
DROP EARS
EARTHDOG TRIALS
EASILY TRAINABLE
ENERGETIC
ENGLAND

FOX BOLTING
FRIENDLY
GROOMING
HUNTER
JONES TERRIER
LARGE TEETH
LONG TAIL
NEED EXERCISE
NORFOLK TERRIER
NORWICH TERRIER
OVAL EYES
PLAYFUL

POINTED TIP EARS
PRICK EARS
PROTECTIVE
RAGS
RATTING
SQUARE PROPORTION
STOCKY
STURDY
TERRIER
TERRIER GROUP
TRUMPINGTON TERRIER
WATCH DOG

SCOTTISH TERRIER

```
D D R E I R R E T N E E D R E B A F R B T V N R P N
T E B V K R G C T F T E R R I E R G N R D D G R D H
M G T R Q T S S E L R A E F K R L L N N Q K O R Q L
H X M E B J H Z A F F E C T I O N A T E R T A J F T
I M C M R M J N R Q K G N I M O O R G E E H X M R L
G F X L P M R B C T B T O U G H X X I C E Z G E A W
H M N F U M I M V H N Y R D V X R R T I F Y A T N A
L S R L O R T N P O P U L A R E R I D A T R M A K T
A G N T R N Y W E L G T W V S E V E M S T V K O L C
N E K A G M D W N D L R R I T E H I I H P N C C I H
D L G O R Y E S P T P K C H M T L E D Z F V C E N D
E T Y C E B V H C P V R S V A Y F O W H T T V L R O
R R B Y I M O R Y O E I Y E O R G H F T C Z M B O G
S O N R R B T L X X T A J R R T S F Y M Q N X U O L
F H R I R X E K E T L L I M R P M H R M X R M O S A
D S V W E X D D O M V E A I W R G B C I L P C D E D
J E R L T C E C O T N K A N T M E T X O E J B R V V
R G N K K E S N L T V L J H D C C I D V A N P K E E
N T T O N G D K E Q S Q L U X T A I R C V T D R L N
W B N Z B E N D C W R K U T Y N G P T R C T R L T T
V W H D Y Y R M W B V R F I M L L N M E E R T R Y U
C K F E C X V K W L M F Y N N H G A G O G T M T M R
T G S H J H G A Y Z Z M A G B L L B R C C R E G V O
M M F G F J N T E M L N L G X A N T W J Y Q E Y Y U
T K R H F R Y N B H M R P G F X Z K B V C B K N K S
Z B C T K S R A E K C I R P D E T N I O P N T G E S
```

ABERDEEN TERRIER	FEARLESS	PROTECTIVE
ADVENTUROUS	FEISTY	SCOTLAND
AFFECTIONATE	FRANKLIN ROOSEVELT	SCOTTISH TERRIER
ALMOND EYES	FRIENDLY	SHORT LEGS
COMPACT	GROOMING	SKYE TERRIER
DETERMINED	HARSH COAT	TERRIER
DEVOTED	HEAVY BONED	TERRIER GROUP
DOUBLE COAT	HIGHLANDERS	THE DIEHARD
EARTHDOG TRIALS	NEED EXERCISE	TOUGH
ENERGETIC	PLAYFUL	VERMIN HUTING
FALA	POINTED PRICK EARS	WATCH DOG
FAMILY ORIENTED	POPULAR	WIRY COAT

SEALYHAM TERRIER

```
D E S I C R E X E D E E N J H Y G P S R A E D E D L O F
D Y G R O O M I N G P T E R R I E R M M Z F N M X N Z D
E Z L E V E L T O P L I N E L R Y D O B E L B I X E L F
N X Z L F A M I L Y O R I E N T E D L K N T F K P X V K
I N V E S T I G A T O R V J W K M N L W B N N R G Y L G
M N K N M V R M T M C K H P L A Y J P S M D Q R L N T T
R H N M P R D V T Q R N D L M W L C R V D S H D N L R N
E X G N K E N M M Z E Q R K T B B E D Q H V N O P Z T A
T P R P T T D J Q G I T R X K M T R S O Y E I N Y P L T
E N Y O Q K R R B P R P R K H N L X R Q I T I Z U J M S
D F V Y F P B E M P R K N C U N R T C R C N Q O M B R I
L E Z W C Y P R L T E P A H R T L W F A D Y R C W R M S
D W G R J W L L L A T L Q N W E M D S E T G L P K O Q E
E G N I G G I D J D M K X B G C E T P B R R S T K A C R
T X M W G K E T F E A X W G L E N E B E Z L T J K D C R
A F D I D J A C R M H N E Y P A N X I H X K U O B L R E
N D Y R E N R K E Z Y D D S W D R R H B F Y B H F O N H
O B M Y R N T D R S L J E I E N R G T R J R B N X N F T
I W N O E M H H K M A T B N E E V C E N N K O E X G B A
T B J U N D D Q Z J E H T H T D D R I R F P R D J H W E
C T M T N K O G M Y S T C H W F I K B T O Y N W H E Q W
E V N E A F G Q E V Y K T O H N M N N A E U Q A K A K P
F K K R M Z T S Y Z G G N W T V M Q M V R G N R V D F D
F Z N C L J R K W M W T N J F S C J H O X K R D G B R T
A N T O L K I Y W N K Y D O M K E R Q W N C S E F M M B
R J Z A E X A C M Z G N R T R C R V W B K T Q S N E G R
M D Q T W Y L D Z P X Q B B K T P F O N M H N N P E E M
K F R R T H S Y Y Y T G X B T R S D P L G D D P C B B T
```

AFFECTIONATE	ENERGETIC	NEED EXERCISE
ALERT	FAMILY ORIENTED	SEALYHAM TERRIER
BARKS	FLEXIBLE BODY	SHORT LEGGED
BROAD LONG HEAD	FOLDED EARS	STRONG
CALMER	FRIENDLY	STUBBORN
CPT JOHN EDWARDES	GROOMING	TERRIER
DANDIE DINMONT	HUNTERS	TERRIER GROUP
DEEP SET EYES	INDEPENDENT	WALES
DETERMINED	INVESTIGATOR	WANTS ACTION
DEVOTED	LARGE ROUND FEET	WEATHER RESISTANT
DIGGING	LEVEL TOPLINE	WELL MANNERED
EARTHDOG TRIALS	LOVES TO CHASE	WIRY OUTER COAT

SKYE TERRIER

```
P S C S L A I R T G O D H T R A E R K T R R D Q R N R
T N C B J B M D N C O U R A G E O U S W P E T X N N A
P R F Y R G Q T F M H X X K Y P F G A J R V W L T C I
D I P M B R T L A D T K C N F M N T B E P K V L K M R
K A R Z X E T T M A H R R J R S C D N H S I L Y T S O
S C D T E Y R Y I K F G C L R H C N W M N H J G R C T
W Y C Q A F I V L J F F G L D G A O K L G W K M P M C
A K L R S R S C Y M O N E O T M Q B T P L A Y F U L I
J C O G I I L I O Y X X G C D L Q B D L L W M J D M V
G O S L L A E T R X H N G L T M L O C Z A J L J J M N
N R E N Y R O E I K U L I L J I T S E J X N X N T J E
O T S N T B F G E N N M P Y A T O S T T L V D R D B E
R L E R R O S R N L T C D L E Y I N E U H G U O T H U
T K T V A B K E T L I F K R K C O E A C B M P Z Z K Q
S N E Y I B Y N E W N N H N R R F L P T P B K V C L R
V Y Y Q N Y E E D C G U P E B E R K N R E T O M G P P
B T E Z A F X S X W N L X B R I C L I T P L Z R U T C
N M S L B Z F B S T K E V A G R G C L D J R R O N Z N
F K W F L F Y L I E D K H T T R K N R L C F R W E K F
R R P L E N Q N B E L G T K M E V L I V B G V L L V W
Y E W L P D G R E Z N R W T A T T D M M R K E J T M D
N T F Q Y T M N F O K R A R X E K C R E O G K T L X K
Q N T B N L M M L L L K C E H Y M F I O A O X H Q G W
H U Y C S E N S I T I V E W F K K R R N P X R W B D R
N H M Z Y L N N K R F J F K R S R F T Z L E N G Q T G
T I A G S S E L T R O F F E P E N G R R T Z A W C M M
W O R K I N G T E R R I E R T Y K T E R R I E R T N T
```

AFFECTIONATE	GREYFRIAR BOBBY	ROCKY CAIRNS
CLOSE SET EYES	GROOMING	SCOTLAND
COURAGEOUS	HUNTER	SENSITIVE
DROP EAR	ISLE OF SKYE	SKYE TERRIER
EARTHDOG TRIALS	LONG HARE FEET	STRONG JAWS
EASILY TRAINABLE	LOYAL	STUBBORN
EFFORTLESS GAIT	MILD MANNERED	STYLISH
ELEGANT	NEED EXERCISE	TERRIER
ENERGETIC	OTTER HUNTING	TERRIER GROUP
FAMILY ORIENTED	PLAYFUL	TOUGH
FEARLESS	PRICK EAR	WATCH DOG
FOX HUNTING	QUEEN VICTORIA	WORKING TERRIER

SOFT COATED WHEATEN TERRIER

```
R C Y J M M K Q T E E F D N U O R L G H P M Q P
T S Z R O T A N I M R E T X E N I M R E V C E F
N T T L G L G O D N U G M R A F G E P A N L H N
J R T M M P V C M C Z Y Q M X X T R N Z B T E R
N O Z F H U M P I T G X Q G P A W Y A A H T L R
X N X R F O C X H R C D U F N R W W N C A T Q E
K G T C N R F V J Q E A R O L H O I L E E L B L
G Q T N V G B W N Y R L I N E I A T H R O F L X
V K R L H R Z M J D M T A A Q R A W E V R I U K
F Q T M T E C L I Q C L T N T L D T E C V R K L
K T F Y C I T A R E D E V Y D E X S D E T N C Z
N G S L K R N N F R N C L C T X T T L E R I W R
D L D D T R M F Z C E I E A N O W Y K N K L V X
G U I N H E A L O T S T O S J O G R P L K C W E
R F K E E T L L F A N C N U I A I F Q N T G O W
O Y H I R Z O J E B T T M U I C D N L R X X V D
O A T R D R D R T F L P H T H M R W A G G X Z T
M L I F I X I L O R Q H T E R R I E R P P K R J
I P W Q N N G S K H X T G V X R F W X C M E T M
N H D K G V K N C O N G E N I A L N Z E L O D F
G L O T L L H T W A T C H D O G P T Y A D V C K
W N O V Q L F K T H R Y F B R X N K X K D E Y D
M P G D A E H R A L U G N A T C E R K T B Z E Q
A L L A R O U N D D O G L C I T E G R E N E V N
```

AFFECTIONATE
ALERT
ALL AROUND DOG
ANY WHEATEN COLOR
COMPANION
CONGENIAL
DIG
DOCKED TAIL
EASILY TRAINABLE
ENERGETIC
FARM GUN DOG

FRIENDLY
GENTLE
GOOD WITH KIDS
GRACEFUL
GROOMING
GUARDIAN
HERDING
HUNTER
IRELAND
LIVELY GAIT
LOVES TO JUMP

NEED EXERCISE
PLAYFUL
PROTECTIVE
RECTANGULAR HEAD
ROUND FEET
SOFT COATED WHEATEN
STRONG
TERRIER
TERRIER GROUP
VERMIN EXTERMINATOR
WATCH DOG

STAFFORDSHIRE BULL TERRIER

```
G E K M H T T P L A Y F U L G K R A L U C S U M M
Y A W M N R B D J F T Z N O I N A P M O C J F V E
R S E V I T C E T O R P S T A O C H T O O M S S R
K I J M D R D A T N L M M S L J Y Z S Z B Y I D J
V L T L C O K M F T E R R I E R X T Z P V C N S G
K Y I P I K C H D F X Q K V Q L R B U K R R U L S
G T A H T R E I G H E M L H W O R O F E D O R U R
X R G K E S R D L B L C G T N B R A X M I Y O A W
D A L N G E I R Q E U W T G R G N E E C T I T A F
R I U M R L H D X N D L W I R G D L A F T T T G L
N N F K E C S G V J A I L E O E Y N Q C I C X O D
T A R H N S D B L P L N I M E N E H N N H L G O E
T B E D E U R F H L C R N N A T A U G D Y L S D T
V L W D K M O G E T R B N Y K S B T O B H E W W N
G E O L V K F D N E J R L Z D M T G E N G V A I E
Z N P X T E F L T I K Y F V A O A I O K P E J T I
F G I M T E A N F P T J G R Z T G I F K G L G H R
K C P T L H T P R M M H F F H N N M K F H T N K O
F Z X K I C S M I Y M Q G L G A Q R E K C O O I Y
R G L N N A J V E W R Q E I P H C B N V V P R D L
R T D T M Q B K N G B T T M F R R M G K T L T S I
A M I A B L E L D X I K O T M G W N L L R I S Z M
N M X V W X J K L C D C P Y N B O L A J Z N N H A
L R Z N J J N K Y U G E N T L E M D N V B E N L F
T R T D E T O V E D B N N M P P N L D D N L L K T
```

AFFECTIONATE	ENERGETIC	POWERFUL GAIT
AMIABLE	ENGLAND	PROTECTIVE
ATHLETIC	FAMILY ORIENTED	RAMBUNCTIOUS
BULL BAITING	FEARLESS	RATTING
BULL MASTIFF	FRIENDLY	SMOOTH COAT
CHEEK MUSCLES	GENTLE	STAFFORDSHIRE
COMPANION	GOOD WITH KIDS	STRONG JAWS
COMPANION	LEVEL TOPLINE	STRONG WILLED
DEVOTED	MUSCULAR	TENACIOUS
DOCILE	NANNY DOG	TERRIER
DOG FIGHTING	NEED EXERCISE	TERRIER GROUP
EASILY TRAINABLE	PLAYFUL	WATCH DOG

WELSH TERRIER

```
P R N F T F K B P E L A D E R I A E R U T A I N I M K
T E Z W T Z K D Z T T L V W G I B T K T T D P B Y W K
R A R T H M C B L A C K T A N T E R R I E R D L K L Y
R R V H C K K J Z R K L R Q Q V S H A P E D E A R S T
D T T Z G A Q B A L L L U T E P E L B A I L E R D E R
J H K V P T P L B L D I L U F Y A L P F N V P K E V K
V D M F T Q E M N Z S M I S C H I E V O U S K F D L G
K O K P T R K M O I C L Y W J I L R T Y B L T N J X B
R G D L T R V V T C W P T L N V N C W M N A F V B R H
T T O F L B T I R G P A N A P V G D M A C Y B V O H K
I R C S T D V H V A O P J B O P T W E L L G S K J Z K
A I K E K E Q N R C R R V W U C L N L P O E E F F K X
G A E N R V N C Y L E N J O I B E A T D E N S X O Z K
S L D S P R S R X T I X R G F R M L H W H N H W W R H
S S T I G P I K N Q R G V N E S E C B A F N D N F K C
E W A T K W B V T E R R I E R T T F I U E F W E L B O
L R I I V R Y Q B E E N Y D K A A R O E O P D Z N Q N
T E L V S X T X I H T T N K W K E N D X T D T T Q T F
R N X E L K G R R G H K Z T Q D M E O V T J K Q N X I
O E R M Z Z R V G G S M G Q T T X T G I B E F Q X C D
F R E M K E Y A L N L C V E R E Q Z N L T W R P M T E
F G T W T W D Z B K E B R N R J W G I P M C K R X H N
E E N X Z X R J P L W R N C N Q R N M B Y V E J I R T
Z T U P X B U R G N I X I M R R X N O H Y R N F J E B
B I H B W M T M Q E K S T W K X X T O Q R M L H F Z R
C C W B P J S Y R R E M Y X H N M K R T R B L T D A V
S G I D A L M O N D E Y E S N X C C G T X W G K Q T D
```

AFFECTIONATE
ALERT
ALMOND EYES
BARKS
BLACK TAN TERRIER
BROKEN HAIRED TERRIER
COMPACT
CONFIDENT
DIGS
DOCKED TAIL
DOUBLE COAT
EARTHDOG TRIALS

EFFORTLESS GAIT
ENERGETIC
GROOMING
HUNTER
INDEPENDENT
INQUISITIVE
MINIATURE AIREDALE
MISCHIEVOUS
NEED EXERCISE
PLAYFUL
RELIABLE PET
SCRAPPY

SENSITIVE
SMALL CAT FEET
STURDY
TERRIER
TERRIER GROUP
V SHAPED EARS
WALES
WATCH DOG
WELSH TERRIER
WIRE FOX TERRIER
WIRY COAT
YNYSFOR

WEST HIGHLAND WHITE TERRIER

```
N N M E L B A N I A R T Y L I S A E L J R Z Y H X G
D D N I K R N K M L O C L A M D E L O C N J Y C L Q
R A J T A O C E R I W G B E M S M F M X M L N M E Y
L N L M W S H T J Z L P A R K Q C C P J I T L W S W
K D Y F A E K H M K P R W B R Y C O M T M Z K J I P
H I K H T N B H G P T K W A F B N V T L J N D X C J
L E M H C E C M P H K J L T J G Z L A L R F F X R K
Z D Y U H A K T D S P U V F C C E H O L A F B M E H
W I M N D T J O Y U P V K H V S R P C M T N P B X H
D N Y T O H G T L O G H T Q K L U T E Y Q I D E E B
G M R E G T Y N P I N B P Y N O K D L G F M Z T D B
L O R R R N T T T R K X E Y R R H V B Y Q R R I E A
S N P I K T F T N U W L H G R G T R U M K E Y H E R
Y T A Y X W T R L C E K R X N Q M D O B T V M W N K
Y L U N M X H U I L N E Y I F M K X D T F R P D L S
S N Q B K B F I Z E I B D P B N X P F Y Z E C N N K
H N R Z B Y C Z T R N N N F P H R K F K N G K A T K
J Q K I A O U I R E A D Z C H A T L L Y R D W L Z Z
V P K L A M R E T M S C L N T C H W M O I A K H H K
V N P P T C T N E E H C P Y P C M N O G T B M G M B
D L V N T D M D Z Y G D O M W G A M S X L X K I P T
J P U R T E R R I E R R M T K E I P R Y H O T H K R
K L T M I N D E P E N D E N T N S M M L P F Z T X D
B Y K R H T N P C L L M N N G I H T Z O K L C S N L
A F F E C T I O N A T E M G E R S L I H C D R E Y Q
C P O I N T E D E A R S Y T C T Q H Z E X X J W D N
```

AFFECTIONATE	EASILY TRAINABLE	POINTED EARS
BARKS	ENERGETIC	POPULAR
BLUNT MUZZLE	FOX BADGER VERMIN	ROSENEATH
CAIRN	FRIENDLY	SCOTLAND
COL E D MALCOLM	GROOMING	STUBBORN
COMPACT	HAPPY	TERRIER
CURIOUS	HUNTER	TERRIER GROUP
DANDIE DINMONT	INDEPENDENT	WATCH DOG
DEMANDING	KIND	WEST HIGHLAND WHITE
DIGS	LITTLE SKYE	WESTIE
DOUBLE COAT	NEED EXERCISE	WHITE SCOTTISH
EARTHDOG TRIALS	PLAYFUL	WIRE COAT

The
Toy
Group

AFFENPINSCHER

```
R L C R K R N W J R Y J N N N T G C P T H L T E N X K X
E N I L F Y P M D M L C M E Z N J Z K K I K M N H H W Y
H B S V K T N L H M D N E V N Z L K L A Y W X E P M T E
C Z M D E P M R M J N D R P R F R O T T K B N R C H P L
S G A Q N D W T D R E F Y V K P B D N M T R B G X B L Z
N E L D J M E T C X I X H D P T E K P G D R A E B P Z Z
I R L G J E D L E B R V V R R K Y R L C E X B T R R N U
P M R L N T V R T T F B F C C U E H H R O Y X I Q Z D M
N A O Q B N C I K T A X Y O O H T F T Z W M E C L K N T
A N U T M I G P T C I N D L C L P S K L M T P B P Y W R
M S N P S C K M N I M L O S G M D L T M Y R L A R C V O
R I D E H N D R M V S L N I P T P T G C C N E H N O M H
E L F W M D J R M D P I T F T F N L O N A A T Y M I W S
G K E K J R K M M G P L U W V C F C B L S P L R C X O S
Z Y E K P K F D O N B J J Q N Y E M B I E T M Q C H J N
T P T U M J M D E T Q K M L N X H F L V B R L O K E Y W
B I G H H Z H F A L R T Z N G I N Y F N M G A Z C A R M
A N C C T C F O L U F Y A L P R T R P A K Z D N H T G Z
R S M L T A C V F L R K R N O R T G R W L Y F J T T D P
K C R A I H G Q K V C A T B A L K J M R R N K J G O L U
S H W K S M V M M B R H B I K L N B M H R K V W R L O O
B E Q R L M B B H E B U N M I S C H I E V O U S D E B R
F R A G K J R E B N T A G E R M A N Y N N D K D P R M G
J H M Q K G K R R S B P E T I B T O H S R E D N U A P Y
L T V H L B E G T L C O N F I D E N T G A I T Y Y N D O
D X Q M T E L G E L J X N H G R O O M I N G N H D T K T
D F T H D R N R R Z R E I R R E T Y E K N O M Y F Q N W
B M V B T W Z N N Q S G O D H T I W D O O G K L C W Y K
```

AFFECTIONATE	ENERGETIC	MISCHIEVOUS
AFFENPINSCHER	FRIENDLY	MONKEY TERRIER
BARKS	GERMAN PINSCHER	NEED EXERCISE
BEARD	GERMAN SILKY PINSCHER	PLAYFUL
BOLD	GERMANY	PUG
CLIMBER	GOOD WITH DOGS	RARE BREED
COLD TOLERANT	GROOMING	SHORT MUZZLE
COMPACT STURDY	HARSH COAT	SMALL ROUND FEET
COMPANION	HEAT TOLERANT	STUBBORN
CONFIDENT GAIT	INQUISITIVE	TOY GROUP
DOCKED TAIL	LITTLE DEVIL	UNDERSHOT BITE
EASILY TRAINABLE	LONG EYEBROWS	WATCH DOG

BRUSSELS GRIFFON

```
Q W T F K N P U R P O S E F U L T R O T H K B L H T M
M X K N R Z P H H T X D F R D Y D D L K J P L G N J N
Y H X O E I L C C B R M Z L B T Q S T U B B O R N N H
Z Y T F W D E R V O Q H O M Y N K Y W Y G J G N R M Y
K N E F D I I N G T M B J W M G S N R D J R F H L T R
E T A I L L R F D N D P M F K I R B E T I P K F I N Y
S N S R M J R Y N L K L A N L L S T A F Z V H L F J H
I K I G M K V L H O Y B L N D T N C F C W C I H G W U
C N L S D G F R L A C T T R I E T O H G F B K K D N L
R O Y L X L L C O K I F P H I O N T X I O O M N D K B
E C T E Q O J T T Y P R L R R B N L R N E D D E K L T
X N R S R S N R S H N D O E E R K J K W W V R R J M V
E A A S G S Q K U L N Y V D S X X Z A K F S O M A L V
D B I U P Y F K G M L V G P L T C T N L H K V U N U K
E A N R N C L Z H I T E U U K L C I X O Z M I D S G G
E R A B B O P G M H B O F M L H T Y T B H P C N Y B Q
N B B M A A Y A K C R Y H R D M H B Y E R X L L D E N
T T L H R T F K L G A B R O X B I M Y Q G L T D R L H
C I E F K K Y I Y L Z X G X R T L Q V T T R D R T G H
A T Y K S T M O P J T N K M E Y K B N P E W E Z M I W
P E Q T Z B T T N A F F E C T I O N A T E S T N M U K
M P L C E S I O L L E X U R B N O F F I R G K K E M Y
O T N R L I A T D E K C O D T T F L V Y M X R C W T K
C E V I T I S N E S V R H B L R B B X N K T V P I X T
N F G N I M O O R G C R R Z K F V C P X B M L V T H D
J M L Y G L T V M B E L G I A N G R I F F O N J Q L T
D W T F L T L Q D R N Q Y L H H W T E R R I E R C W F
```

AFFECTIONATE
BARKS
BELGIAN GRIFFON
BELGIUM
BOLD
BRUSSELS GRIFFON
CLIMBER
COMPACT
COMPANION
DOCKED TAIL
EASILY TRAINABLE
ENERGETIC

FAMILY ORIENTED
FRIENDLY
GLOSSY COAT
GRIFFON BEDGE
GRIFFON BRUXELLOIS
GROOMING
GUARD OF CABS
GUSTO
KIND
MISCHIEVOUS
NEED EXERCISE
NOBILITY

PETIT BRABANCON
PLAYFUL
PURPOSEFUL TROT
SELF CONFIDENT
SENSITIVE
STUBBORN
TERRIER
THICKSET
TOY GROUP
UNDERSHOT BITE
WATCH DOG
WIRY HAIR

CAVALIER KING CHARLES SPANIEL

```
L N T P F L P X M T L E I N A P S N A T E B I T T T E J
V T P R L U A F F E C T I O N A T E F L E K I A W S Y J
T J Q L Z F Q D R O Y A L T E E W S O G H A O C I C A T
L M C E T Y F R I E N D L Y C Q N V D H G C B C T P V V
Z X L I D A L F Q J G B L V Y B E I R E Y L R W A V L X
P P M N K L P Q H Z L N Q T C S R V E K Z E T N N L A A
Y D M A Y P M T K E T X D Q T D F R L X X M E X O J P M
M Q T P X N C M N W N M S O L L F I C E Y S P R I H A I
N X E S D B M L D X C G S E U N S D D F E C L K S E N A
T C E S Y D F X W L C N L S R Z P E T C J M H C S L D B
Y O F E K R V R H J I L H A M O E L H J L T Y M E B F L
M M G L F J N G T F E I K V N N L I R R L K W J R A O E
M F N R M X H C F W N N L K D D N P K C A R E Q P N O L
K O I A H K X K S G T D Y K X N Z E X M P W L Q X I T K
N R R H C J P O B V S E S A H C S N P E D N Z T E A W M
N T E C H R R I B K I L W R P A M C G K O N Z T G R A K
M E H G Q G R Q T S T I N A E D M X Y H G Q U N N T R K
W R T N N D T G Y H P B S L T K K K R H Y C M K I Y M F
G S A I S M W M B U M A P E V C Y Z H N P I L Z T L E R
R P E K B E H B O B Y O N G L N H N M K D T L J L I R D
O A F C D L L R M M T Q Y I D R Q D M K P E U B E S S L
O N G X X K G T N G Q V U Z E G A C O J R G F C M A G R
M I N H R Y F V N N Y K L I Q L M H H G N R L Q K E Y K
I E O Q O T R I B E K L Z F E C M R C Y L E D Z T L C M
N L L T T N L L W L G Y T Z F T P N N G M N M Y B J L T
G S N Z B L T N W T K C N C H N R G P H N E R H F B L Q
X R G Y I N J K P L B C O M P A N I O N R I V N K X T L
M V Q W S A E L F G N I T C A R T T A F H H K D D V W N
```

AFFECTIONATE	FREE GAIT	NEED EXERCISE
AMIABLE	FRIENDLY	PLAYFUL
ATTRACTING FLEAS	FULL MUZZLE	QUIET
CHASES	GENTLE	ROSWELL ELDRIDGE
C KING CHARLES SPANIEL	GROOMING	ROYAL
COMFORTER SPANIELS	JAPANESE CHIN	SILKY COAT
COMPANION	KING CHARLES II	SPANIEL
EASILY TRAINABLE	LAP AND FOOT WARMERS	SWEET
ENERGETIC	LAPDOG	TIBETAN SPANIEL
ENGLAND	LONG FEATHERING FEET	TOY GROUP
EXPLORES	LOVES TO SNIFF	WATCH DOG
FLUSHING BIRDS	MELTING EXPRESSION	WILLING TO PLEASE

CHIHUAHUA

```
X L V L Y V L L U K S E M O D E L P P A Y R R H D L S H
E V V W H D V T M C C K F M L B A M G M T V M R H K M T
L S A U C Y E X P R E S S I O N U N N M F H Y N K L A N
Z L R M Z C T C M X L Y L T N P H T V F B H J X X L L Q
Z F T A E T F N L B P Z D Q N D A K K P M H E Z Z E L R
U K C C L X N C O M P A N I O N U D R H N N T X G S E X
M S C Y R E I A N K K V M B C T H F D H E N P L K S S P
D R M K L A R C R T E C H I C H I V G R Q K H D V T T H
E E W M K A L T O E L M X C P L H N G A L M H E Y H B L
T D V Y P C T U T T L T T K X C C E N A X A J T Z A R Q
N A J T C E M N P D M O C X P L T I R Y T C G O L N E D
I R X M R R L Y E O B X T Z F I H G T E Y N X V R S E A
O T T Z Y E X W H M P V P T C C E F S X I N V E N I D I
P H M Y T M F Z C R A U F L A E F C K K Y G X D T X L N
N S M L I O X Y V M O R M A R E O P A P M Z X C M P L T
P I P L A N B X P R D N E E S L H B K J C D A K M O X Y
Z N K G R I B P G L C V C P D T M L Y W K P W N N U Z F
R A Y L T A C Y O V R T F W M U P B W W M T L Z V N L E
K P J O S L O B V R E D E K H E L A A O K C U P M D P E
T S M S G T T H Z A K A W R L Z T Q C R M N F K Q S N T
T K R S N H B D R D T P E D Y H M P G E K V E H N F K X
Q Y H Y I M R S V H F H Q H M V P T V T D S C Z N R H T
T L F H R M N M E Y T H N H W X V Z K R M T A R T N K R
V I L A E M M R N R R C H I N E S E D O G B R B M L H K
V V N I B C C K L G C M K V G O D H C T A W G O F Q K X
L E K R Y X S L A U T I R S U O I G I L E R C E T L O T
F L P M J K R W Q Q P M B X M Y H T I M I D F G D J N Z
C Y X C Z Q M G L T A O C H T O O M S M W P D K J T T T
```

ALERT
APPLE DOME SKULL
BARKS
BERING STRAIT
BOLD
CEREMONIAL
CHIHUAHUA
CHINA
CHINESE DOG
COMPACT
COMPANION
DAINTY FEET

DEVOTED
ENERGETIC
FAST PACED TROT
GLOSSY HAIR
GRACEFUL
HATES COLD WEATHER
HEAT TOLERANT
LARGE ERECT EARS
LESS THAN SIX POUNDS
LIVELY
MEXICO
POINTED MUZZLE

POPULAR
SAUCY EXPRESSION
SMALLEST BREED
SMOOTH COAT
SPANISH TRADERS
TECHICHI
TEMPERAMENTAL
THE RHUMBA KING
TIMID
TOLTEC RELIGIOUS RITUALS
TOY GROUP
WATCH DOG

CHINESE CRESTED DOG

```
Z N P H R N G N N N C H I N E S E S E A F A R E R S
K R Y R H T O L G H Y S R A E T C E R E E G R A L M
Z R J E F L D L L R R R F E H K K A M D D R K K K Z
G N N E Y Y D N S E O Z E P T N T J G E Q R N H N L
X J F L L T E I I V T O M D X A D T T I T Q D Q I L
M Z T E D L T K L I C M M L N B N O E N L H Y A L G
G K Q S N H S S K T G N R I L E V O Q R E E T R L L
P N F O E A E T Y I W F W G N E L W I L R E G Z M M
T L H R I I R F H S M T J L D G Y S B T M A N A G M
H C S Y R R C O E N F M J F Q P R A W U C F G B I B
E A E S F L E S A E L L K Q U A N K L D G E V A T T
A L Y P D E S H D S H V Q O T I C P E L Y B F B D K
T E E Y I S E T H G D T R T A E R N T T W D Z F H I
T R D G N S N O A P M G E R N C O M P A N I O N A Z
O T E W T N I O I D Y R T E C B X R D E O I R U C L
L F P T E Y H M R O L Y R H E H C T Y R L J C G B P
E F A M N X C S T A L G H N C M I M P T K T R F R R
R T H R S C T N P I E R I B P K T N X C T H N J Q V
A M S G E Q K D S T Y F T B V L M Y A Y A M G E X N
N T D T L T O A I V J P D K R Q E X R R T R C R G T
T F N X O G E C L U F Y A L P L F A E N A H N F Y T
R V O L O P W J P H K P K N D T H F S C Q D B J G H
Z M M W K T N A G E L E M K H D E K E I J B K X J P
K D L F A M I L Y O R I E N T E D F K C N N C P T Y
J T A J J C Q D M L F W Y N T J U P X J L G Z V G B
T G N K P W A T C H D O G Q N L F F R Q B M G D N K
```

AFFECTIONATE	ENERGETIC	INTENSE LOOK
AGILE GAIT	FAMILY ORIENTED	LARGE ERECT EARS
ALERT	FINE BONED	PLAYFUL
ALMOND SHAPED EYES	FRIENDLY	PLEASING
CHINA	GENTLE	PLUME TAIL
CHINESE CRESTED DOG	GRACEFUL	RATTER LAPDOG
CHINESE SEAFARERS	GROOMING	SENSITIVE
COMPANION	GYPSY ROSE LEE	SILKY HEAD HAIR
CURIO	HAIRLESS	SLENDER
DEVOTED	HARE FEET	SMOOTH SOFT SKIN
EASILY TRAINABLE	HEAT TOLERANT	TOY GROUP
ELEGANT	IDA GARRETT	WATCH DOG

ENGLISH TOY SPANIEL

```
Y X W T Z R P F N L F N F A M I L Y O R I E N T E D J
L E I N A P S R E T R O F M O C Y G F P T W X Z B F K
H N T B L D N P D F N J C M H U N T E R S D V P Z V F
G Z R R K A Y D N Z Q N F L U S H I N G B I R D S N T
U N M N R V P L H R B N R G N I M O O R G N S K L P E
O R M M Y K T D W G T M L T T S B G R G E M R I J Q A
R Z L G B T N N O W F R K E M Z T D K R V Q A N M Q S
O K N N J V K T A G W K E I Q P M L L L I B E G B C I
B M C P L R G T R C C F E K U A D E O K T K G C S X L
L W T A P J C L L W G H I O R O M I N J N L N H O L Y
R Y R J L H W X T N N N R Y M C N N G C E C O A F G T
A S H M D M N L I E G G Q E W G R A C R T H L R T E R
M T T O C R K R L C Y U D Y H G G P O F T L T L E N A
F M G U N C E B H O E H K V L X R S A N A C E E X T I
O D M R B H J A T E E H R M M Y B Y T G Q Q S S P L N
E R X N T B R X N A L D M J T C H O D N P D W S R E A
K P F A X L O O D E T Z L Z Z R J T T M W Z O P E Z B
U F E R E W F R I N L R T V B K C H L P Q K L A S L L
D F L S I S D N N C O M C K T K N S L A V K C N S T E
K W I M C E A V L L Q I Z B R W N I T T E V T I I P R
F I F O T P N X R L L D N L Z B C L Q E Z W X E O P V
M C T O S W F D Y L V N Z A G K R G L N I K E L N C G
N S V M M R R W L M N A R V P J R N J V N U F H J K P
K E G X T M T L T Y J L H R D M N E P W N D Q C T R W
D P L A Y F U L T Y Y G L G W L O L I A T D E K C O D
Y S I L K Y F L O W I N G C O A T C Z T F L P T M K R
L Y L E L B A I M A P E J B K L B S E Y E K R A D N C
```

AMIABLE	ENGLAND	LONG COAT
ATTENTIVE	ENGLISH TOY SPANIEL	LOW SET LONG EARS
BLENHEIMS	FAMILY ORIENTED	MARY QUEEN OF SCOTS
CALM	FEATHERING FEET	PLAYFUL
COMFORTER SPANIEL	FLUSHING BIRDS	QUIET
COMPANION	FRIENDLY	SILKY FLOWING COAT
DARK EYES	GENTLE	SOFT EXPRESSION
DEVOTED	GROOMING	SPANIEL
DOCKED TAIL	HUNTERS	STUBBORN
DOMED HEAD	KING CHARLES II	THE WEALTHY
DUKE OF MARLBOROUGH	KING CHARLES SPANIEL	TOY GROUP
EASILY TRAINABLE	LAPDOG	WATCH DOG

HAVANESE

```
N X M L F Y D Z L M R V E C B G N I M O O R G H F K
O K E R R C S V K W N E S R E D A R T H S I N A P S
I W D Q I O G Q D T X D A B U C N C E N R Q F W M M
T I I Z E M O R Q L K B W S F T L B W M K C H B W P
N L T W N P D L T X V T I N I G A A Q K R I L C Q F
E L E H D A K R L G K G M C X L T N Y T T O W Q S Q
T I R R L N C K F V C U B A H C Y V Y E M B F H F Y
T N R R Y I I T J N M L P K H O N T C P F L O R L K
A G A H M O R K W Z C Z A D T L N U R G P R T I E S
F T N F A N T Q Q V R N O T T K B H C A T A S Z D P
O O E A R B W P R T C G P A T A L H A L I A H I G L
R P A H F H E N Q I L M U O N T M Q E V E N K P P P
E L N D R F W N E B F F O C X L C G D S A S A E T Z
T E S Y G O E N E Y Y G R E T N G D N V E N S B K Y
N A H U L B T C N R Y R G L R E P R K V H I A Y L T
E S T C O T Z C T K O F Y B D B A Y O L C D H I N E
C E L M I I B H Z I M S O U Z E P L C R G J W N S B
Q N T M C R R P K C O L T O L P L D E T L Q D N N E
Y D E G I J B U V B P N H D M C B X P W T L F W S K
F S Y K T K F C C T T I A G Y L E V I L J Z Q E L X
K T V V E K G L K N L R H T D D B W M R D Y N M W K
T N K L G B A R B I C H O N E M Y N P P M A V N R Y
M G O D R E T A W N F W G E F Z B S N Z V N K L P Y
Y D L T E V R W R G T R N M N R F W U A G O D P A L
F M B F N G O D K L I S A N A V A H H B X F C T R J
K R T L E M M X M P L A Y F U L T S T U R D Y L L K
```

AFFECTIONATE	ENERGETIC	NEED EXERCISE
ANCIENT TIMES	FRIENDLY	PERFORMER
BARBICHON	GROOMING	PLAYFUL
BICHON HAVANAIS	HABENEROS	SHORT LEGGED
BUSY	HAPPY NATURE	SPANISH TRADERS
CENTER OF ATTENTION	HAVANA SILK DOG	STURDY
CLOWN	HAVANESE	TOY GROUP
COMPANION	LAPDOG	TRICK DOGS
CUBA	LEARNS EASILY	WATCH DOG
CURIOUS	LIVELY GAIT	WATER DOG
DOUBLE COAT	LOVES KIDS	WHITE CUBAN
EASILY TRAINABLE	MEDITERRANEAN	WILLING TO PLEASE

ITALIAN GREYHOUND

```
D L O C E H T S E T A H N L W C M Y P P R L G R L H
J G F C A F F E C T I O N A T E R R K V H R X T O Q
T D Z R H N Y L N R D P W Q M J G M S V A K C A V U
P A K T I A N E V I T I S N E S J D D C M K I O E E
Z E Y H F E S D M Q Q M G V G L I N E W L M T C S E
D H R I Y M N E N R P K T S U K U F B A K R E N T N
E W N G F Y Z D T I V D R F H O U R P V L H G I O V
T O H H J R J Z L Y K A Y T H L E D M J K W R T R I
N R E S Q F T M B Y E A I Y K D O F A Z A K E A U C
E R A T J P V R C D L W E V N G W B N T M G N S N T
I A T E K X H D E P D R R E K B R P C D N D E Y B O
R N T P W T N D N O G R L H T P Z H I Y W Y V S L R
O G O P H M L N O N H S M Y W A D Q E X W L K S C I
Y N L I W O X G A P R T F J L O O X N D Q T N O K A
L O E N F Y G I M U R L E G G B F C T I E T T L D R
I L R G C G L M M O L P Q E L B D K T E T T T G F T
M T A G X A W M F R R D K Z F F C J I R L A O R L H
A K N A T V C G G G N N L H Q E V X M R O E L V M C
F C T I P M R E W Y J T W J H N R J E R R H G Y E M
T P T T Y M N C V O N M H K Z C W A S M V G S A D D
P M G N R T T R W T K L Y T Y K K R H N H M Z J N N
M Z H K L N E L B A N I A R T Y L I S A E N L B R T
J P G E N O B I L I T Y K N O I N A P M O C H K N R
L T G N R Y W M Q H P F S I G H T H O U N D Z J K J
T B Q K P L M K F T G N I H S U R B H T E E T G Q L
D E E P N A R R O W C H E S T T W L K H M N F P R N
```

AFFECTIONATE	GENTLE	LONG NARROW HEAD
ANCIENT TIMES	GLOSSY SATIN COAT	LOVES TO RUN
CHASE	GOOD WITH KIDS	NOBILITY
COMPANION	GRACEFUL	PLAYFUL
DEEP NARROW CHEST	HARE FEET	QUEEN VICTORIA
DEVOTED	HATES THE COLD	SENSITIVE
EASILY TRAINABLE	HEAT TOLERANT	SHORT COAT
ELEGANT	HIGH STEPPING GAIT	SIGHTHOUND
ENERGETIC	ITALIAN GREYHOUND	SLENDER
FAMILY ORIENTED	ITALY	TEETH BRUSHING
FOLDED EARS	KIND	TOY GROUP
FRIENDLY	LAPDOG	WATCH DOG

JAPANESE CHIN

```
P L L C X R L Z J T C C J L B N M C J Z Y N J F R N
U R H A L Z B L Y K S H N A W M Z W L H L X B E E X
O Q K T Z W G U X M C I I T P D R X Y I I X M A C V
R N L L K C F F D R M C H N P A M W G P M G R T N J
G Z Q I B M L Y Z L K E I D S M N H G Y A B X H I T
Y R F K N X C A N D T R J T D Q K X Y V F V E E R E
O Q P E K H D L T A E T I T E U R G P P L A D R P A
T K Q R H K T P N Z B V V A T G B H Y D A N B E N S
D H Y Y J M G O M T L K I C H B R N R L I C R D A I
K G O O D W I T H K I D S T R Y N E E F R I L H E L
G Y B G T T L Q L W P F Z B I C K R N Z E E M A R Y
M M N T C Y M X N E A L W N T S D L M E P N G R O T
Q Z N E L N H B K B A T I G V A N K I G M T G E K R
V Q F D D G V I L P X H C Y E Z J E L S I T N F X A
P F D M N M N N D L C B P H T W L K S Z Y I I E X I
A O H Y B G C O W E M Y D T D B J D Z Q X M S E X N
N R D N E Y G L S J S A E S N O R Y X V W E A T Z A
T I L S Z Q B E B E O L I K M N G Q N B K S E B V B
M E E C V K N F G R T N Y X X W M L F B M M L V B L
N N P Y W A R A B N G T C O M P A N I O N F P G G E
W T V M P I C V E L D L E I N A P S E S E N A P A J
D A K A E D L G E M G F A M I L Y O R I E N T E D X
M L J N R P Y C A R C O T S I R A E S E N I H C L Z
R W D I L N O R P J J M Z T Z M R G R O O M I N G R
Y L B V X A N P M L C H I N E S E E M P E R O R M Z
Y B N V T Z K D E T O V E D T T I A G H S I L Y T S
```

AFFECTIONATE	ENERGETIC	LAPDOG
ANCIENT TIMES	FAMILY ORIENTED	ORIENTAL
BIRD CAGES	FEATHERED HARE FEET	PEKINGESE
BROAD HEAD	FRIENDLY	PLAYFUL
CATLIKE	GENTLE	PLEASING
CHINESE ARISTOCRACY	GOOD WITH KIDS	SENSITIVE
CHINESE EMPEROR	GROOMING	SILKY HAIR
CHINS	IMPERIAL FAMILY	SINGLE COAT
CLIMBER	JAPAN	STYLISH GAIT
COMPANION	JAPANESE CHIN	TOY GROUP
DEVOTED	JAPANESE SPANIEL	WATCH DOG
EASILY TRAINABLE	KOREAN PRINCE	ZEN BUDDHIST

MALTESE

```
M R N L Q N M A O G T R Y R L S S A L C R E P P U F
L N H Y M O A F D L Y X N G L S H K B I C H O N V T
D X F V G I L F S Z D Q D M R O M Y C L V L Y N X L
N V A H N S T E I T N E L T D N V A F C N K N M C L
L Z M M I S E C L F G C S K P Q N E L T R C R F M F
M P I A M E S T K N P R T T L L R M S L T T T N M K
W H L L O R E I Y Y G M T K B L A S J T F N C M R Q
E R Y T O P T O H V B M C T N R E Y K M O E K F H T
S K O E R X E N A M O N G T L M E K F D D R E L R M
A H R S G E R A I C L O H F I W R E R U P F U T M T
I K I E C E R T R Y D F L T N O N F D A L X W N X L
T W E L P L I E R P R D T R U L M K R C T H N D W P
L Q N I K T E R A I T N E N E R G E T I C L W B J U
A R T O K N R L E G E T D T F Q L D V L X R A F J O
M W E N L E S N N I O E G E T G G B L W Q W Y M G R
N J D D H G D T C L Y D I O M I W W H L P G N D Y G
O K K O F L N N Y E L S H Y D L A I K G E N T L E Y
H K N G Y V A K S R T M C C L N T G E M D X L L N O
C N O T Z K R Z V Y V T H K T E O S H E F D L K W T
I T I T L A H K Z F J L K H C A E I T T H M K F C D
B E N I L P O T L E V E L O F T W O L G O R X P J W
D G A U V T X J D R K N A N L D V N Q E N O W T N J
M G P R C T L C W T V T H A V E X R V C H N M R W P
T O M T T J B V R K M C M Z D P S K R A B T V S C L
P Z O L G X T D E L B A N I A R T Y L I S A E R B X
Y L C M Y L A S T O F H I S R A C E H X L M V T G R
```

AFFECTIONATE	FRIENDLY	OLDEST BREED
ANCIENT TIMES	GENTLE	PLAYFUL
BARKS	GENTLE EXPRESSION	POPULAR
BICHON	GROOMING	ROUND EYES
BICHON MALTIASE	LAPDOG	SILKY HAIR
BOLD	LAST OF HIS RACE	SMALL FEET
COMPANION	LEVEL TOPLINE	SMOOTH GAIT
DEVOTED	LOVES TO RUN	THE LION DOG
EASILY TRAINABLE	MALTA	TOY GROUP
ENERGETIC	MALTESE	UPPER CLASS
FAMILY ORIENTED	MALTESE LION DOG	WATCH DOG
FEISTY	MALTESE TERRIERS	WHITE COAT

MINIATURE PINSCHER

```
Z M K B P R N S P I T F I R E S K D M D X B Z R J N
V C L M R A L U P O P X N X J K W L N N C H A S E S
Y N V R E H C S N I P H E R M A X R T T Z Y D L F L
L Y C F B B R H P V N T Z T T L Z M L L D D D I F B
N P L K Z U Y K P L R P N C P J R K P X T K O N B N
K N C D K D S L L E C T H G G A T H L E T I C Q Z Q
T R F L M L T Y L H V D C T X N I P N I M T K U T L
N S K K M Z F A J K O F D H P F P T Y T Z T E I N T
G N M R P Q D K V G T J M C C R L I N G J H D S E A
J E J A N D E N E R G E T I C G A A A P R J T I D O
V K R T L L T L F Y F M M W B Z Y G M P E J A T N C
Y T W M K L H U N T E R S P C K F G R S H P I I E T
L F M F A T C Y N K Q N X Y Z V U N E S C C L V P R
R H T R F N P A I E I L M K Q K L I G E S M V E E O
N N K R E P R N T M E T R L V B K P K L N F L N D H
J N R Q A H G O R F T D M R N C F P G R I T P C N S
B X H R P O C E E N E E E L F Q K E W A P R N P I D
G N C W F Y V S P D R E G X M F L T R E E K N J Z R
L S R T J L J U N E E H T B E V R S C F R T W R Y A
T T O O L Z O R C I K E L M T R H H H X U E R Z M H
M Y Y A B R Y T K V P K R N B Q C G Z B T R J M N M
S K M D G B E T T Z M G A V R L T I T W A R B H K B
G S Q Y R A U K S Q T G R Y V K M H S G I I D K O T
V V O R R U L T C I E Z K E M Y N G R E N E N L M Y
N T N S L K T L S L E G D M W H S A R B I R D K P H
J T L W C M R S E L C F J T R Z L N Q C M R L N R R
```

ALERT	GERMAN ROE DEER	POPULAR
ATHLETIC	GERMANY	REH PINSCHER
BOLD	HARD SHORT COAT	SCRAPPY
BRASH	HIGH STEPPING GAIT	SMALL CAT FEET
BUSY	HUNTERS	SMALL VERMIN
CHASES	INDEPENDENT	SPITFIRES
DOCKED TAIL	INQUISITIVE	STUBBORN
ELEGANT	KING OF TOYS	STURDY
ENERGETIC	MINIATURE PINSCHER	TERRIER
ERECT EARS	MIN PIN	TOY GROUP
FEARLESS	NEED EXERCISE	WATCH DOG
FEISTY	PLAYFUL	ZWERGPINSCHER

PAPILLON

```
H J T B A R Z W A T C H D O G B J Z R T V M L F T L
T M W L F M Y T I L I B O N N X J L F J W Z P Y R G
P L Q L X D I V T S D I K H T I W T A E R G N Z C K
J X T E X C N A Y K F X T Q M V A Q X M T M O T H S
L M R I T B S Y B Y R M R M N C L N Q T B N E L D E
E K M N N C P N D L C H V V J K I U L S J L Y L R Y
I D N A T J A Q R D E N R R K M I T R U B P N Q T E
N R Z P Z Z N M H G O D P A L C T A E A E D W P N D
A O Z S D Q I Y N K Z P C F K B E N N G W N T W N N
P O R L F M E W L T N T R E V Y X I A A R D G N X U
S P E E Q K L F I D K C A X L I A V R G A E K A P O
Y I T R B P T P T C N S O F D R X F G I E T N L P R
O N A R C L S L M L Y K R M T X S S N R B L Z E V E
T G N I H A J L R G J E K Y P P Z T I P O B E K H B
L E O U E Y T K A Z T E L K A A Y T N U O O Q G J K
A R I Q A F R I G T N I T N G E N T L E O P M H K Z
T E T S T U T M U E S H I T N F R I L J N L U I R N
N C C H T L G B L A T E Y H B P G R O Z O G G L N R
E T E X O L V A E I L C T H T B C H K N L V D G A G
N E F Q L T H K M S X N W N M X F X T G L R K N P R
I A F V E P R I P C E M J H W R D N L V I T M L T L
T R A V R D D T D I K K Q V A D Q L Z D P W T H X T
N S P Y A W K G D N K X R N M B B B N N A N K B W F
O Q K C N R W E P H N C C Z F L J Q Y Z P Y K H L G
C X T R T T B B M K V E R T E P G N I V O L J Z J R
M N Y X H O T O Y G R O U P R N S I L K Y C O A T P
```

AFFECTIONATE
AMIABLE
BUTTERFLY EARS
COMPANION
CONTINENTAL TOY SPANIEL
DAINTY
DROOPING ERECT EARS
DWARF SPANIELS
EASILY TRAINABLE
ELEGANT
ENERGETIC
EPAGNEUL NAIN

FRANCE
GENTLE
GREAT WITH KIDS
GROOMING
HEAT TOLERANT
LAPDOG
LOUIS XIV
LOVING PET
MOTH
NOBILITY
OBEDIENT
PAPILLON

PHALENE
PLAYFUL
POPULAR
QUICK EASY GAIT
ROUND EYES
SILKY COAT
SPANIEL
SPITZ
SQUIRREL SPANIEL
TIMID
TOY GROUP
WATCH DOG

PEKINGESE

```
P E K I N G P A L A S T H U N D M G F N L N W F T P L
Y Y N W G K Y M F T K Z Q V T F M Z W A T C H D O G C
Y D T L K R R K Z A H Q U E E N V I C T O R I A B X Y
N Q V H N L O M C N M E T K T H V W K T V W K M V I T
X Y L S I X Y O H O B I W L R E H T A E W T O H O N L
Y B M E M C M P M E T W L E A F L P M P T D S D N D A
Z R G M H L K T Y I A S E Y A N H M Z W E C H L T E Y
L O C I W W X U W T N R Z L O L I F N M S V O I J P O
T A J T R T K H N D S G T J K R T H M C E K W U T E R
I D Z T J K R K B D M A N S R N I H C O G Q D B X N B
A F P N R X R M V B E M N H H R I E Y L N M O Y X D N
G L N E D R T R K T T R K Y L A Z R N D I M G V G E R
D A D I N B D V M P J Z C A D R P T W T K B Q A T N L
E T R C L B W D U B H P M O S G A E Z O E T K E X T B
I S T N R W C O L R B A B E A O N K D L P D F H M G M
F K M A V Z R F K C I L Y K C T K A L E K Z R Q H M K
I U N C X G J N O S K E M R Q W V P T R A N M Q N E T
N L K Q Y V G M T S D D E T O V E D T A Z R F X K R R
G L J O N O P B G N D T Q V Z N T N C N G M S V N O J
I H T T D A U O U C U Y M Y S G M O G T H G Y F T N L
D B M N C D D O T O F J B T R T M M Q F N P H R Z S L
K W O T D E R K E G J Z U L F P N P M N X M T K L C Q
K I N H V E L S K N D B F L A T L A R G E F E E T Y N
L H I E G T R X L G B F K N M T Z J D L M F Z N L N R
M S E R J A W K F O J V I J Q R D L M Z D G D Y Y R Z
M L A Y O W F T R K L O C S E H C U N U E E C A L A P
S L T C G F J N X Q N P Q Y D O B D E P A H S R A E P
```

ANCIENT TIMES	HEART SHAPED EARS	ROYALTY
BROAD FLAT SKULL	HEAVY BUILD	SHOW DOG
CHINA	INDEPENDENT	SLEEVE DOGS
COARSE OUTER COAT	LAMAIST BUDDHISM	SNORE
COLD TOLERANT	LARGE ROUND EYES	STOCKY
COMPACT	LION DOG	STUBBORN
COMPANION	NO HOT WEATHER	TANG DYNASTY
DEVOTED	PALACE EUNUCHES	THE WEALTHY
DIGNIFIED GAIT	PEAR SHAPED BODY	THICK UNDERCOAT
FAMILY ORIENTED	PEKINGESE	TOY GROUP
FLAT LARGE FEET	PEKING PALASTHUND	WATCH DOG
GROOMING	QUEEN VICTORIA	WRINKLE

POMERANIAN

```
T X Z Z B O L D D F F P L A C T I V E N G N G K D
M M N K C E N T R O H S Z M M G R R K G S M G P J
Y R B L A L M O N D S H A P E D E Y E S U Q N D Z
N Q X F O X L I K E E X P R E S S I O N O R I E L
L C L Z B J T Q L C N U P P F B B Y R G R M M T B
C W R T R J F S K U O G C F M R C M R T U C O N Q
C L L Q R L K Z R R E X O M G N G Y L T T L O E W
D L Y F Q R D T G I G V K D U N M Y M N N N R I E
L E F M A T L Y K O Q G I O H B H L M L E A G R D
P F V B H R O C R U P E B T R C C K I F V I K O G
S O B O J T R R T S J R N K N R T A T N D N G Y E
C R M P T M C Q H N K M H D T E T A Z R A A Z L S
J O A E V E N D G K T A M M X D T S W M K R R I H
L Y M E R N D C L C J N W N E C E T P W N E Y M A
B D D P T A H T L C T Y H L O L X O A Q R M K A P
N O O B A C N C B F K Z R M F H M D P R B O M F E
T B U K G N E I Z R E U P C R S Z Q B L B P C R D
M D B Q R X I R A N C A O M T N Y K C O C U P M H
F E L W J L D O E F C N S P I T Z M J K R R S L E
K D E C R L L R N T F L U F Y A L P F Z N L C Y A
P N C N L L G F F I W K Z V Q G C Y F Q Q R L X D
C U O M M E T E D Q U E E N V I C T O R I A M L L
T O A V T F E E Z T I P S R E H C S T U E D L V T
T R T I C T N P U F F B A L L R T F R M R M F P T
J N C V B T K D E N O I T R O P O R P E R A U Q S
```

ACTIVE	CURLED TAIL	POMERANIAN
ADVENTUROUS	DEUTSCHER SPITZ	POMS
ALMOND SHAPED EYES	DEVOTED	PUFF BALL
ATTENTIVE	DOUBLE COAT	QUEEN VICTORIA
BARKS	ENERGETIC	ROUNDED BODY
BOLD	ERECT EARS	SELF CONFIDENT
BOUNCY	FAMILY ORIENTED	SHORT NECK
BUSY	FOXLIKE EXPRESSION	SPITZ
COCKY	GERMANY	SQUARE PROPORTIONED
COMPACT FEET	GROOMING	TOY GROUP
COMPANION	PLAYFUL	WATCH DOG
CURIOUS	POMERANIA	WEDGE SHAPED HEAD

PUG

```
H K V M B J L T L D G Z W B C N T M L B F Y C Y R B B
M L R Q W R D Q G X I V T O J N L Z A T M A R Q R C M
L G N A C J C M D R L G N Z R N F F T S N Y R L L H A
C L N L M P Z Y K W R F N X H R P W G C T H R F K I R
T G X O V E Q W R W I N L I I Q H R I J L I R K B N M
M R L T R K C I N D H H K E F P M E D Z N G F N Q A O
Q M T T M T N N E Y N N N F K I N R M C N U D F M B S
A A C T F K S N I P M D K T B T E P T M J P C T M M E
M F W R L K T D U R L N G M T R R D V C Y K T L N Z T
I F P E G D M O A Y P T C I R I W Z Z T P L M L V C P
A E S L M O R O L E N P M N N F K H Z G H X Q M I K U
B C T P A G D N P A H E Z C K P K K K X L Q J T T G G
L T R Y Y Y V H R S S N E E D E X E R C I S E R N N M
E I V O W N F E C K H W K Z K Q Z T N Z F G K K A I O
W O T M D H L U L T I O R Y G L D F H R R N T R S L N
L N N K Y O J K L L A Z N N N P N N M E N Y K D A R K
P A M M T M R F L B R W J D I L J Z N X T W Z W E A E
K T W D L L F I P Q Z Y Z K M P C E J Q B H X F L C Y
R E L M K O A Q E S A E L P O T G N I L L I W G P K S
N O L T W M H Y N R T Z M L O N R O B B U T S W N L M
C G S O H G K T B X P J V G R L Z L R C W N C P Z P L
W W H P N M L Y F N L M N C G G O D P A L L N C H B L
R S H L O M M T C Q E L B A N I A R T Y L I S A E M T
N L G F T M S E I R E T S A N O M T S I H D D U B R N
C O M E D I A N Y R K M B L O V E S T O C A V O R T T
E G N A R O F O E S U O H X C O M P A N I O N J L T R
J Y X C R J P N K M Z M U L T U M I N P A R V O Q G W
```

AFFECTIONATE	ENERGETIC	NEED EXERCISE
AMIABLE	FRIENDLY	PLAYFUL
ANCIENT TIMES	GROOMING	PLEASANT
BUDDHIST MONASTERIES	HEADSTRONG	PRINCE MARK
CARLIN	HOUSE OF ORANGE	PRINCE WILLIAM
CHINA	LAPDOG	PUG
COLD TOLERANT	LOVES TO CAVORT	SHOW OFF
COMEDIAN	MARMOSET PUG MONKEYS	STUBBORN
COMPANION	MASTIFF	TOY GROUP
CONFIDENT	MOPS	WATCH DOG
DIGNIFIED	MOPSHOND	WILLING TO PLEASE
EASILY TRAINABLE	MULTUM IN PARVO	WRINKLES

SHIH TZU

```
B Y L I M A F L A Y O R M W R T N J C T Y C T M B K
L D T N T J N D Y M W W F P A J L Z K D W H L B L D
H N K T K Z R L Y P M G U D C T B W O Q J I F K E D
R R G R D R G R Q F T O B P O U C B L T H N D V Y K
F R I E N D L Y R A R G F H D U Y H T N N A O D K B
Y Y V M P Y M P E G T V S D K D B K D Y R T M L T W
L T T Y T R L B Y V K P H R R J T L T O E V W M X L
T M I R D M P O T Q U I N U C D K R E D G T V T V K
K S X R R U T B N N S Z T G F L K T J C H T B L L G
F U I V G G L R K M T S Y Z D V H L M Z O X R U Y D
A O C T N E F Y L O V E S T O R O M P Q F A T F T P
M I S Q G R L V N F T C O M P A N I O N N K T Y S W
I C S G N O R T C T K P L N P R E W C H Q F K A A F
L A E R D X O P N L R T E B I T F B T B E Z Q L N V
Y V R O D C K D K E G A F Z A P X J J P F R P P Y T
O I P O J G I F W V G L L N N R O B B U T S D L D K
R V M M L G N T W I H N O U K N T Q T F Y F J I G H
I G E I M L O Z E R T I M X P T E E W S R U K O N F
E F R N R Z P D H G T H L M G O N Q V C D Z T N I G
N X E G V T X F Y C R C K F K N P X L F Z T C D M C
T K G G Z T N V E L X E F I K M T Y F M T H A O P T
E B A F V G V F A L O V N K D C R T N R M I P G M T
D Z W T M V F P P M L H X E K S L L Q M K H M W M T
V Z O K X A D W U N D E R S H O T B I T E S O B N Z
D J D G G O D M U M E H T N A S Y R H C Q W C F R M
R J Q J G X R N T H E F F O R T L E S S S T R I D E
```

AFFECTIONATE
BUDDHISM
CHINA
CHRYSANTHEMUM DOG
COMPACT
COMPANION
DEVOTED
DOUBLE COAT
DOWAGER EMPRESS CIXI
EFFORTLESS STRIDE
ENERGETIC
FAMILY ORIENTED

FRIENDLY
GENTLE
GOOD WITH KIDS
GROOMING
HERDING
HOLY DOG
LAPDOG
LION DOG
LOVES TO ROMP
MING DYNASTY
PLAYFUL
POPULAR

ROYAL FAMILY
SHIH TZU
SPUNKY
STUBBORN
STURDY BODY
SWEET
TIBET
TOY GROUP
UNDERSHOT BITE
UPBEAT
VIVACIOUS
WATCH DOG

SILKY TERRIER

```
B P B J K H N T T G N H E A T T O L E R A N T K V H C L
M R H K G L N V S U O V E I H C S I M X T N N S D I F L
N L X S A Y N G Y L T A L N V L H X M R A C H R T Q X T
C D M I F Y K R O W I W U T M G N C R R N A J E R N L L
X Z N L F H N L M D V A L S R W K R E B P K G M E R Q K
R G Z K E X V M I Z H R T G T B K L N E C R M F I O T M
D N P Y C Y F P M S K C J D V R O B D X E J K T R B E C
Y I N G T K B L B E Y X T N E T A E M N J L F N R B E S
M M M L I R B L Q J L E Z A D K A L E M L C Z D E U F M
W O N O O E L F W B Y L N L W R C D I H K K L Y T T T A
J O C S N I Z R K O T W O D S V K O Q A M Z N V Y S A L
X R T S A R P C G L L C V W Y K G X D R T X E T K Z C L
N G N Y T R R O J D M N T V L S T X C N Z R G N L Q L A
Z T R C E E R M K W M L M T L A N M L H M C F M I X L L
L R T O R T Q P W F S Z H P H L P W R I M L G Q S B A M
H Q P A F Y P A N P F I U K I T P D N E B R S D N L M O
Q D T T B K R N N M L O N A T P Z H O F V K V Z A C S N
Y F R G L L V I F J R A T G D M U L E G R E W K I T N D
T R Y D Q I Y O L G K D Y D L N Y I N A J N L R L J F E
F N B K G S Q N Y R E L F F T E S K B X B M B C A H W Y
T E R R I E R O Z K C R V I U T C L V M M W L T R M V E
W M D M C H T D C G I Z N Z Y L P O G F C Q L Z T X L S
L N W Q R V V O N E K G L Z L K K H A J N M L K S L C F
X T T L K N D K N S L A I R T G O D H T R A E L U R X G
N L X D B J Z D D L G E L B A N I A R T Y L I S A E V L
L W P H K X L J F L A T S K U L L E V I T I S I U Q N I
K F X L M Y R X C R M L I G H T F O O T E D G A I T T R
N F M N K N W N K N E E D E X E R C I S E X L M X V N R
```

AFFECTIONATE	ENERGETIC	SILKY GLOSSY COAT
AUSTRALIA	FEISTY	SILKY TERRIER
AUSTRALIAN SILKY TERRIER	FLAT SKULL	SINGLE COAT
BARKS	FRIENDLY	SMALL ALMOND EYES
BOLD	GROOMING	SMALL CAT FEET
CLEVER	HEAT TOLERANT	STUBBORN
COLD TOLERANT	INQUISITIVE	SYDNEY SILKY
COMPANION	LIGHT FOOTED GAIT	TERRIER
DOCKED TAIL	MELLOW LAPDOG	TOY GROUP
DOCKED TAIL	MISCHIEVOUS	VERMIN HUNTING
EARTHDOG TRIALS	NEED EXERCISE	V SHAPED EARS
EASILY TRAINABLE	PLAYFUL	WATCH DOG

TOY MANCHESTER TERRIER

```
Y J V H Y T K V R R S C R A P P Y T L C Q Y B N T L
N D W S M O O T H G L O S S Y C O A T K B J G H V R
J N D N O I S S E R P X E T R E L A L R T X Z C M P
L V I O M Q X D E T N E I R O Y L I M A F N R Q Q X
H B T T G H E N G L A N D J D R G Z P N Z X L T Z N
W J L M A R G T V M T F Q X K D K T L L U F Y A L P
K T L A J L A E M P J T G K X C Z N K H K Y R S E Q
N P R K C J I C N H X Z K B N R T T T J X K R F Y R
N E L A E K C A I T R M P Y W B F V J R W A F G E S
N E M N T E T P N N L J U L L W V F P R E O R T K E
X N B O J K L A M G G E O C J P L R K T R Z S R C Y
H G D J D Q I S N K R L R V J L B Q C T T E F I G E
G L R G L B T L N T S E G Y M N W E L N H Y N L B D
J I T W M X A F L R O Y Y K K L R E L C Q Q N N C N
K S N B J M M P E I C Y O H Y E S Z N K U M Y J O O
S H A H W Z T T U G N K T E O S D A K I X L C R M M
E T R N R L N E H D T G N E G U M T S N K T A N P L
N O E H F U Y K P X E E C A R Y N I C M T J R L A A
S Y L T H G N N K P R K I O O R T D L F D R Q H C L
I T O D N F O B T G I T C T N I I Q Q S W H K R T L
T E T T T L Y D E Y L H D U V T C E E C H X H C B A
I R T N T P P T H W Y V W E T C E S R X Y B P P L M
V R A L G Y I T R C D M V T K L A S K Q X M C R H S
E I E P W C N L V R T Y K N G H N W T H C R K B M C
W E H N N J P M X K Q A T Q C M R F D S L C P D T Y
C R M K M T T L Y P H T W S M A L L R O D E N T S G
```

ALERT EXPRESSION

BLACK TAN TOY TERRIER

CHASES

COMPACT

DOG RACING

EFFORTLESS GAIT

ENERGETIC

ENGLAND

ENGLISH TOY TERRIER

ERECT EARS

FAMILY ORIENTED

GENTLE

HEAT TOLERANT

HUNTERS

INQUISITIVE

ITALIAN GREYHOUND

PLAYFUL

RACY

RAT KILLING CONTESTS

SCRAPPY

SENSITIVE

SLEEK

SMALL ALMOND EYES

SMALL RODENTS

SMOOTH GLOSSY COAT

TOY GROUP

TOY MANCHESTER

TUCKED UP ABDOMEN

WATCH DOG

WHIPPET

TOY POODLE

```
F D K Z W E D I R T S S S E L T R O F F E X M T Z R
K J C F R E N T G R M T H Q E H C I N A C D H A Y E
Z R N Z V W G X N G R G C K L X M N B G T Q G O Y M
C X C O P T H E A T T O L E R A N T L J V R P C F R
V O T I K Y A F F E C T I O N A T E B R J G K H H O
C E M L T X F A M I L Y O R I E N T E D S N M S L F
D N F P C E R F N V E W A T E R D O G S E V D R N R
N K L K A Z G R F I Q B G T D E K M M Q N O J A V E
T R M J C N B R V R P C T K L C N A P D S B W H H P
R K H T N J I I E X I P T D Y V R L E K I E M Y N S
E L C T L Q S O W N N E O Y K T A F L Z T D H L Y U
L P M M V N E L N P E O N P D P C C Z F I I G R K C
A R V N O G A T Q P P B K D D V I E Z W V E V U Q R
T N R P X G S K G Y E R J O L W T N U M E N L C G I
C L S P O P I C O D S S G R B Y E T M C L T M J W C
N E L D B H L T N H I K K M N Q L R D R B R J K N L
R X N H Z K Y R C U C G R R V X H A E L M Y R P U S
C U T T M K T D P N R P Y Q A D T L L N F N V F K E
G N I M O O R G L T E U K H L B A E E P Y L Y W Y Y
B D M L N V A F R E X O Y J D D T U S L P A A Y F E
P A J T T H I K C R E R L P W L Y R I X L T N Z B L
M N R T M T N M Y Y D G Y T P H P O H P C I N F T A
N P G B T G A K D C E Y K W V E P P C H N G V G K V
K W R P E X B L R W E O T R Z T P E D M V K N E Y O
M D Y Y H T L L C K N T K W Q K F O R R L B N M L K
K R M E S A E L P O T R E G A E G L C K W R X W L Y
```

AFFECTIONATE
ALERT
ATHLETIC
BARBET
BARKS
CANICHE
CENTRAL EUROPE
CHISELED MUZZLE
CIRCUS PERFORMER
COMPANION
CURLY HARSH COAT
DEVOTED

EAGER TO PLEASE
EASILY TRAINABLE
EFFORTLESS STRIDE
ENERGETIC
FAMILY ORIENTED
FRIENDLY
GROOMING
GUN DOG
HEAT TOLERANT
HUNTER
LAPDOG
LIVELY

NEED EXERCISE
OBEDIENT
OVAL EYES
PEPPY
PLAYFUL
RESPONSIVIE
SENSITIVE
SMART
TOY GROUP
TOY POODLE
WATCH DOG
WATER DOG

YORKSHIRE TERRIER

```
T R R H B W M Y R B R T Q P X V B P K M X D E W D T K
M P B M R E R Z M S T U B B O R N N Q G L H V F M Y L
K T F M G A Y N N J N V M R L V M P N O C R I V K H P
K S L L G L R B D O C K E D T A I L B Q F T T T C Y V
R E O V M T E H T W M N M L Y C R V N V N M I N I L T
K Y N H H H I D R H R R N L O T V R Z B X E S L N N B
Y E G R E Y R W L N Z N D M M R N V Z D L T I S T D C
D D S P A M R Q D N N N P W A T C H D O G A U M E L R
O E I R T I E G F N E A P L D X Q P N H V N Q A L W K
B Z L Q T S T T K I N K U X R W G J R M L O N L L A Q
T I K W O T E N R I J P W T W X B O Y S M I I L I T F
C S Y X L R R F O Q O T Z H G K U A M Y Z T Q V G E J
A M H N E E I N R P M G F N P N P A R L M C P E E R L
P U A J R S H X T M Q H R U D T L R R K W E J R N S R
M I I M A S S G W B H T O F Y L T T R T S F V M T I V
O D R Y N E K W R C X R E J F R Y C V N Z F M I E D S
C E P T T S R H Y H G E N L T R F Q G T B A K N X E H
Z M T Q A K O N P Y T M A L V F E L L M V R Q H P T A
Y L T R G O Y M O R C T K B R C L N R M Q D K U R E P
Y N U M B R C T R Z H N N C C I T E G R E N E N E R E
B S C F H R O N J E N F T N P Z Q T W L H W P T S R D
N D U T Y F G O A V M P R T X Y Q Q Y L A Y W I S I E
J P L B G A N D M T H F T T L Z G K N L T N X N I E A
V N T B K L L R G I E L K R N R H F M W G F D G O R R
P Y G N D W W P P H N U J P L Y G K W H J T Y V N M S
R N K L J T J K T Z N G L N E N I L P O T L E V E L M
L S U O R U T N E V D A Q B N R N J T E R R I E R X Z
```

ADVENTUROUS	FRIENDLY	SMALL FLAT HEAD
AFFECTIONATE	GROOMING	SMALL VERMIN HUNTING
BARKS	HEAT TOLERANT	STUBBORN
BLUE TAN COAT	INQUISITIVE	TERRIER
BOLD	INTELLIGENT EXPRESSION	TOY GROUP
BUSY	LEVEL TOPLINE	V SHAPED EARS
COMPACT BODY	LONG SILKY HAIR	WATCH DOG
COMPANION	MEDIUM SIZED EYES	WATERSIDE TERRIER
DOCKED TAIL	PLAYFUL	WEALTHY MISTRESSES
ENERGETIC	POPULAR	YORKSHIRE TERRIER
ENGLAND	ROUND FEET	

The
Working
Group

AKITA

```
C G N I T N U H E M A G E G R A L G N G L G M L J M
L Z M Q L R X N D B Z T C Q N H C F O G O A P A T N
L R Q D T W L X B M G B N A N Q R N M D T R P Q Y Z
Q F R K H V N R J Z B K M R C I G A E A H A Y Q T J
W R J R K B L H M P R E O M E R T C G G N C T H G M
M H A K L O N M R R L B W N K I I N S L X T F G L
B R P R B L P L H B B N D T K L I I B P V E Q A Y F
U X A N T D P D O U F L V A O N M N T I M V Y R W K
N M N A D I U N T A Y L D P U O R T Z T K I R W H X
I H E T O N O S L F L H L E O K B J Q Z F T Q G C C
A R S I G D R Q R F N G A R V B B M K A L C K M L J
T V E O F E G M X E V N G C L O Q K M W M E V H B N
I G T N I P G K F C M T N P H R T I M T Q T L V F U
K N O A G E N X R T Y N T R G I L E R Y L O R R P H
A I M L H N I Z G I J T E P E Y K P D M X R R Z K S
V R B T T D K L D O B N I E O L R O M F K P F L M N
J E S R I E R X D N N W O R D F L Y T L A Y O L K O
K E V E N N O D D A M O I I U E N E R G E T I C M H
N N N A G T W C V T M E R L N C X T K H Q W Y X T F
L I K S K W H K T E N G K T H A E E L N B R F L R O
W M H U N T E R S T C C R P H H P S R L E N G B R D
M O N R M N T R E X G T L N W E P M L C F L P F K N
L D F E Z K C D G Z M N R N T T R H O Z I Q E N Y A
M C O L D T O L E R A N T L H C K N J C T S M H Y L
M G E L B A N I A R T Y L I S A E Z T C T R E V T S
W R A T I K A E S E N A P A J V T E N A C I O U S I
```

AFFECTIONATE	FRIENDLY	NATIONAL TREASURE
AKITA	GROOMING	NEED EXERCISE
AKITA INU	HACHIKO	NOBLEMAN
BOLD INDEPENDENT	HELEN KELLER	NORTHERN
COLD TOLERANT	HUNTERS	POLICE DOG
COMPANION	ISLAND OF HONSHU	PROTECTIVE
DEVOTED	JAPAN	SECURITY
DOG FIGHTING	JAPANESE AKITA	SPITZ
DOMINEERING	JAPANESE TOMBS	STUBBORN
EASILY TRAINABLE	LARGE GAME HUNTING	TENACIOUS
ENERGETIC	LOYALTY	WATCH DOG
FAMILY ORIENTED	MATAGI INU	WORKING GROUP

ALASKAN MALAMUTE

```
V F Y W T L T P X N H E A V Y S L E D P U L L I N G Z F
X G O D D E L S O D L T P N B M X H G R C L M L F K A Q
F N X T R K B R B R E D O U B L E C O A T G C U J F R H
J J D M H S T B Z T J T R N X L T W L M B D N B F R Z Q
G V N C K H E P X M D M N W K Y M B N F D L L E G N K F
N L L V E D D M T N R F G E C L N A K Z O Y C J A C L R
I Y R R Z Q L E I B J W Z W I T K N H V T T Y D M U E K
M Q N P K V B W V T C M L D L R T N I L I Z M T F Z T D
O G O D H C T A W I T M L L Y M O N P O E I M R N N U V
O X L H K N R W N L T N P K Y W G Y N B R M E K F M M S
R M N L J M V C K D A C E R H M C A L A V W U T V W A R
G W R E R T V D L T Y R E I Z K T O L I O M M T Q G L E
D M C N E L E J O X C R G T C E N B M P M V R Q S N A L
E B N K P D D U C M K Q R E O N Y D E P P A N B N I M U
R H Z N L N E M C R I Y R M M R A L L U A N F Y N T N A
E Y T S A O J X Q S B N D B D U P G O L H N Y L M N A H
N L K T Y R T X E R E R E V T O Z R H L R S I M L U K T
N W R R F T T V F R G R V E E W G Z W Q L B F O N H S H
A D H O U O R K H V C Q H P R G X O L A B R T R N E A G
M N B N L N T T C J Y I T C N I H L M E Q N S C Q M L I
L M N G W S R Y M Y T I S I R D N I N M V M P P T A A E
L J T W T O F Y F M U W K E N A N G K J Z J I N W G R R
E B J I T U V V J N Z R V A K A E W V J N T T J K E D F
W G W L Z N G T I N O X G V K W M S C J R F Z N Y G G T
M N T L P D Z H P W H I H C P L O Y A L X X C J G R M V
N R K E X N W R Y K D Y A T N O I G E R C I T C R A X L
N X B D A K S A L A C P J I N D E P E N D E N T L L T X
E N E R G E T I C N M F L J N N Y K C H W R Z Q F Y R M
```

ADMIRAL BYRD	FREIGHT HAULERS	NORTON SOUND
AFFECTIONATE	FUN LOVING	PACK ANIMALS
ALASKA	GROOMING	PLAYFUL
ALASKAN MALAMUTE	HEAVY SLED PULLING	POWERFUL
ANCIENT TIMES	INDEPENDENT	PROTECTIVE
ARCTIC REGION	INUIT PEOPLE	SEARCH RESCUE
COMPANION	LARGE GAME HUNTING	SLED DOG
DIG AND HOWL	LARGE MUZZLE	SPITZ
DOMINEERING	LOYAL	STRONG WILLED
DOUBLE COAT	MAHLEMUTS	WATCH DOG
ENERGETIC	NEED EXERCISE	WELL MANNERED
FAMILY ORIENTED	NORTHERN	WORKING GROUP

ANATOLIAN SHEPHERD

```
T T V T J G N L T U R K E Y D X Y D X R M C Y N F X R N L
V I N P L R N A D Z E V I T C E T O R P M T M L J Y K L F
M X B J R A D I I V R G O D S D R E H P E H S T S K B A R
L S N E C G I T K R R T J Z G T N X R M N T Y A Y N N G O
Y D K C T C T D M R A D F K C F N P J G Y L B Q T F L I M
R R W B T A X F B Z A T Y T I R U C E S F A V F B Q B L A
C E I K D T N Q N A C B I N E E D E X E R C I S E N T I N
V H R G R J R M R R C R K L K K S J G A Z D P N G Y G T M
L P C Z E Z F N A F T K L D I U L I K N M N P L A O M Y O
Q E K T H P L P Y S F M T Z O T N K X M D U Z N D K R A L
T H Y H P K O J M L T G W I K D U N L W O C C K T K K N L
G S R W E G C K K N N I R M E C T N E R D I C B H S O D O
O C Q W H R K D N M V E F P N E B A G B E O M H H A B E S
D I D G S E G K N A S K E F R M S G G N T K J R F M A N I
H D R N N A U H M L B N K R L I N W T S N R C P L K N D A
S A G L A S A H W F D O I Z L I D T E M E N P Q K C C U N
A M Z L I Y R T D E T T C Y K V I V P T I X D F D A O R W
B O A Y L G D G N F O M T R W M I H L Z R D W K V L P A A
A N F V O O K T O R Y R O W E L V Y X D O M Y H H B E N R
R N F V T I K Y I D A W K S Y H Z K D N Y K L J B M K C F
A P E R A N L A B I H M T T R N B X R N L H M O Z F Y E R
K V C N N G L J N C P C H X N N G Y N N I B P T Y V C N M
H N T L A M J A G N R Z T P Q M L T W M M M R L Z A D P K
L R I M K J B N Y M C R P A M L K W C F A D F V A M L B Z
W P O Y R L Q X N N N R B W W F T Z D P F K K T H Y L T D
T L N L E N F G L S D I K H T I W D O O G P T M V M F C Y
C T A M P W J T M P W N K D E V O T E D R T J Y L V K U H
V L T K P H M I S C E L L A N E O U S C L A S S T R R M L
T D E M P N F G T K A N G A I D O G K R W L X B Y K V Z J
```

AFFECTIONATE	GOOD WITH KIDS	PLAYFUL
AGILITY AND ENDURANCE	INDEPENDENT	PROTECTIVE
ANATOLIAN SHEPHERD	KANGAI DOG	ROMAN MOLLOSIAN WAR
ANCIENT TIMES	KARA BAS	SECURITY
BARKING	KARABASH DOG	SERIOUS
BLACK MASK	KOBAN COPEK	SHEPHERDS DOG
COBAN KOPEGI	LAID BACK	TERRITORIAL
DEVOTED	LIVESTOCK DOG	TIBETAN MASTIFF
EASILY TRAINABLE	LOYALTY	TURKEY
EASY GOING	MISCELLANEOUS CLASS	UTILITARIAN
FAMILY ORIENTED	NEED EXERCISE	WATCH DOG
FLOCK GUARD	NOMADIC SHEPHERDS	WORKING GROUP

BERNESE WORKING DOG

```
M O U N T A I N D O G D D R O M A N M A S T I F F R T
R G D K Q G O D E L T T A C E S E N R E B V X R Y H A
F J V R K E T N O I N A P M O C J V M N P K Q F G M O
F M W R B Q L K R M L U D T F P L L Z T Q N D P W W C
E Z Q W F Q V T T J O L F Y Q I O G G N I M O O R G Y
T L Z C G Q M P N R R M V T A Y O G B R Z R R T R O K
R G B Q G N N B G E V K R T A D N C M Z K T D Q L D L
N Z M A K L Q G M M G W Y L K M F X T R Z L D P R N I
N N Z K N G N G G D M H W C K N L K V N V G P T B I S
M K M F G I G X V W S T O A F F E C T I O N A T E A S
X M V J K T A V T U Q T P K M Z R P J P Q F Z L R T D
H Z X R T S F R B H S Q L L D Y D R W D K A G F N N I
L K O R J D W T T E M T X N J R X O N E R M Y K E U K
B W D P Z F T I V Y T T O C A Q R T W R E I Q M R O H
G P S J Z V L I T X L I N F Y S R E K O L L B I S M T
K O F E T R L O L Z S I T K P L N C V L H Y A E E E I
Z F D D N B E C C A E L S L B K K T C O C O N H N S W
F D R N F S C D V K K R A A X F Q I H C A R C T N E T
Z Z V I T Z I N R K G R L V E F D V H I B I I R E N A
X L C N E M I T X E E U N A A T W E J R R E E E N R E
N T T P B N S F I W H N A R N A G Z C T R N N B H E R
R W K N A V D S O V X D M R T D K T M R U T T L U B G
E R R M C P R L I R E D X C D J L C F L D E T A N R C
V Q O K P M G T Y W O X H K Q C F V M T N D I F D C M
O R B K Z L G B J G S D M E A S Y G O I N G M O D V R
R J L L L J N J B N O W C D D E T O V E D V E R L Z G
D W Q F J Z N J R G D Y N R K V X K Y N K C S P T L P
```

AFFECTIONATE	EASY GOING	MOUNTAIN DOG
ANCIENT TIMES	FAMILY ORIENTED	PROF ALBERT HEIM
BERNER SENNENHUND	FARM DOG	PROTECTIVE
BERNESE CATTLE DOG	FLOCK GUARD	ROMAN INVASION
BERNESE MOUNTAIN DOG	FRIENDLY	ROMAN MASTIFF
BUSHY TAIL	GENTLE	SENSITIVE
COMPANION	GREAT WITH KIDS	SILKY COAT
DEVOTED	GROOMING	SWISS MTN DOG
DRAFT	HERDER	SWITZERLAND
DROVER	LIVESTOCK DOG	TRI COLORED
DURRBACHLER	LOWER ALPS	WATCH DOG
EASILY TRAINABLE	LOYAL	WORKING GROUP

BOXER

```
W Z N C D G B R D N R F A M I L Y O R I E N T E D P T W
N J C L N V N A I D R A U G M G N I O G Y S A E K Y D L
M M M E X U B E R A N T R F B W G H N Y G P X X M T M L
R T V Y S T R E A M L I N E D B O D Y X Z O K M F D B L
E X K D R M X C Y L V X G V V M G R T F T N D P N R K R
S D N V B U T C H E R S D O G P N E T R B P H H J Z X J
I R N O E T I B T O H S R E D N U X T L U V K G C R Z L
A N L Q I T Y L D N E I R F L V T O L O Y N K R X T Z R
B I V I G N D R E S P O N S I V E B R P V G K W Q T A T
N R N V V N A T R K J J N M K R K G H L M L L X Z M E W
E R E Q M E K P D K N L Q N Z M G V A A M K P K P V K X
L V E T U Y S X M Y N W P W C N T F F Y R M N R I W Z T
L W Q C I I N T Y O G G R P I B F R B F M R D T W N T E
U Y K V E B S K O T C H B K D E M H W U G K I W K B L M
B N M Z K S L I P C D T R L C F C D R L W S A Y U B I D
R Q E Z L C S L T W K O M T E F P L Q G N J Y L A L Q K
E G K E P L M E U I W D I H V P N R G E L K L N I N P N
G E N K D G U P D B V O O R I K M X S U R B I T N R O N
I R B T T E F K D N N E F G T L M R F Z A A A Z M M L M
Z M L M W B X F S A O Z G D C T K R L I R R T T X A I T
N A C M X L W E T D Q S E R E D E H T T Y R S N P T C J
A N W Z G Z M E R T E V E W T W N I Y D M L E R Y T E L
D Y R D R C N T M C O H W H O K N L O D P M L O Q E D T
L N B V R T P M G T I B C P R G I G X T T T K B L N O C
Y F Z T N M M T E Y F S V R P S C N K T K N N B B T G Q
V M D Y B L T D C W K G E Z A N H K Q T M L I U K I R Z
V L E N E R G E T I C L N E T Q K W R N K N R T N V B N
R B R A B E N T E R B U L L E N B A I S E R W S L E J G
```

AFFECTIONATE	EASY GOING	POLICE DOG
ARCHED SKULL	ENERGETIC	POWERFUL JAW
ATTENTIVE	EXUBERANT	PROTECTIVE
BOXER	FAMILY ORIENTED	RECESSED NOSE
BRABENTER BULLENBAISER	FRIENDLY	RESPONSIVE
BULLBAITING	GERMANY	SENSITIVE
BULL BITER	GUARDIAN	STREAMLINED BODY
BUTCHERS DOG	INQUISITIVE	STUBBORN
COMPANION	LIVESTOCK DOG	UNDERSHOT BITE
DANZIGER BULLENBAISER	MILITARY DOG	WATCH DOG
DEVOTED	NEED EXERCISE	WORKING GROUP
EASILY TRAINABLE	PLAYFUL	WRINKLES

BULLMASTIFF

```
R T N A R E L O T D L O C M P R K B N F N Y M R T M P
D A R K B R I N D L E A N D F A W N E F L T L K N O P
L V G Q W V N N Y R R J V M D N K W E I K N C L W L Y
W P O B C W Q G Q K T R P V C L X N D T Y V K E K N F
T S D J W L A F F E C T I O N A T E E S Y K R F V H E
H R L V R K G X H N W P K L T Y F D X A N F Q F K T A
R A L K P K J R P L E R J T P C B H E M U M V T B F R
L E U K F L Y Y F L B E I L G X Q M R L G E P B P T L
J D B T W F M Q Z R M M P N E K R R C L X H L G P L E
L E H D A T F Z L A I U L N K P K T I U Q D K T T P S
H P N K L O U I G N O E G G R L Y R S B T J N N N M S
H A G L V M C G T R T L N O F X E T E Z Q Q C C R E Y
Y H Q U D P N T G S A G T D E L U S Y R R T D M Q L G
D S Y A A I L G R N A E B R L B K Z D J J E C H V D B
L V O X H R N C D O C M O R B Y B M X T Y I R R R R L
N R R C R I D D W T H N R O Q P W L W K L U T S R J I
B P A H K H E I I N S S R P R V C I A P R Q T L N M V
K O X R G T B V A M N N Q N F F N R T C K V N O W H E
P K O R O M E W Y N R T M G M B B R R H K D W O M K S
D W M V N R N A I D R A U G E T A T S E P M W R R L T
J W E L R F V T N T I A G H T O O M S Y N E A D N K O
Z D B T Q K P C O M P A N I O N H C Z H T W T S V X C
Q P N J R J T H M K C B L A R G E S K U L L O S K Q K
D L N V Y Z N D T R S D I K H T I W D O O G F M R S D
X W Z N P C M O D E R A T E A N G U L A T I O N R M O
M B B J K T T G Q K R V H V F V Z C R K T N D B G I G
F H L N N X Y G A M E K E E P E R S N I G H T D O G F
```

AFFECTIONATE	FEARLESS	POACHING GAME
BLACK MASKS	FIRM OWNER	POWERFUL
BROAD MUZZLE	FRIENDLY WITH PETS	PROTECTIVE
BULLDOG	GAMEKEEPERS NIGHT DOG	QUIET
BULLMASTIFF	GENTLE	SHORT COAT
COLD TOLERANT	GOOD WITH KIDS	SMOOTH GAIT
COMPANION	GUARDIAN	SNORE
DARK BRINDLE AND FAWN	LARGE SKULL	STUBBORN
DEVOTED	LIVESTOCK DOG	V SHAPED EARS
DROOLS	MASTIFF	WATCH DOG
ENGLAND	MODERATE ANGULATION	WORKING GROUP
ESTATE GUARDIAN	NEED EXERCISE	WRINKLES

DOBERMAN PINSCHER

```
B F F N Y E L B A N I A R T Y L I S A E J C W R M H K
K X E L O U I S D O B E R M A N N M X T N M W V T T K
K C J V D O B E R M A N N D Y G O D Y R A T I L I M D
E J N W I P J Z Y G L T Q T L J M M W F J N P T B T K
B V A M T T T N T N F N I T A X C O L L E C T O R N X
P Y I K U Q C F E D H R M T A O C H T O O M S T V V K
O R D T W S J E Y E U W N G C A T L I K E F E E T Z C
W Q R Y I J C C T C D F A M I L Y O R I E N T E D J S
E Y A R C S Z U E O Y E B R T P X L N N D H Z T B P R
R N U M B R N S L Q R N X Y D J W F T G Y N Q Y E E A
F P G N Y G K E B A Q P A E D O R T G J N R K E H F V
U A D T N Y K R S F R K T M R N G X J Q E C D C F P M
L D R R V F Z V X R N N L N R C T M D H K A S E Q L N
Q V E P Y Z K L V W L P H K H E I D C B N N C N Y A T
B E H U E N E R G E T I C C H J G S Z D I T G N G Y K
N N P O V L J L P X H R P G G P N T E P I N M F L F L
B T E R E C W E F X N V Y P W I N N N O F V G C M U G
T U H G V W V T M G D P B B P E D A N C D N B X D L G
Y R S G I H Y T L J P R K N G U M A O A I W L Z X N M
X O N N S G N E F H F M A I R R T M T R K T R O K V K
F U A I N O T R M X L M L A E E P H E T L G L H Y N T
P S M K O D Y Z Y K R L N B Y A L E T V F K K R F A H
R N R R P H Z J M E E C O Y N E N T N E I D E B O P L
M N E O S C M L G T E D X I T I K T H L M R L Q G N B
G Q G W E T F T N T B F O I M H T N B M B N N D F Y R
F P J M R A P I Z M C N C O G T L W Z P D H W T F H D
L T K R C W P O L I C E D O G L Y V M C B N M G W H B
```

ADVENTUROUS	GERMAN SHEPHERD	POLICE DOG
AFFECTIONATE	GERMANY	POWERFUL
ATHLETIC	GUARDIAN	PROTECTIVE
CATLIKE FEET	INTELLIGENT	RESPONSIVE
COMPANION	LETTER Z	SECURITY
DOBERMANN	LOUIS DOBERMANN	SENSITIVE
DOBERMAN PINSCHER	LOYAL	SMOOTH COAT
DOMINEERING	MILITARY DOG	SPEED AND ENDURANCE
EASILY TRAINABLE	MUSCULAR	TAX COLLECTOR
ENERGETIC	NEED EXERCISE	WAR DOG
FAMILY ORIENTED	OBEDIENT	WATCH DOG
GERMAN PINSCHER	PLAYFUL	WORKING GROUP

GIANT SCHNAUZER

```
T A O C E L B U O D T T R M N E T L B C G D D W D F K
C N H D L H N L W V N C G N A B R H X F A Z K T W X R
L X E P L T G G T A Q R R S C E M K N Q D T P X N K R
R L F G Z M K O R J U G I M Z Y J K K D N G F G C K I
R K M P I T X E D B R L R U A H Z V P V B P B E F T E
G N L Q H L L K M H Y K A M Z D I J L Z P H A G E G S
O L B T V O L E N T C N T X N G V F L L T G I K L T E
D Q Q N T H T E R Z H T W G O E K E L F Z V R F T Y N
S R V T A R H A T C R H A R L T E J N K K Y A K W T S
R N A Q R I I N S N K P O W I G H D K T L V V N G I C
E E G U L N D T Q Q I U R D V K Y J E L U C A D M R H
H R W B A B N R F W S O T J E Q M C F X W R B B V U N
C V A B T A J Z A S H R X J S E V I T C E T O R P C A
T T L M I M X Q T U P G M J T X K F R T Z R G U T E U
U E Z G B B Y R K F G G U P O N W M D K P O C T S S Z
B T G D O U I G G Z L N N L C H F G R N D L P I K G E
V V M L K D N F K P F I C A K Y M N B E N O L X S R R
R Z D P E F L C R W N K H Y D W T Q C H P H F M K E G
Y N A M R E G J T G Z R E F O K F I E U B R P G W A D
E N E R G E T I C I B O N U G M L R L R Y B W N B T Y
D N C M T C J W L P O W E L R O D A N I K L K I B P R
W X K J C R T L V P G U R J P I R V D F G P N M W O R
V D L I U B D E G G U R S V N R N L K V V A B O K W Y
J C O L D T O L E R A N T G R Z T L M Y X M F O R E D
T D N D E T N E I R O Y L I M A F M X Y G J K R V R B
W G B R W E A T H E R R E S I S T A N T R X V G T J B
R C B X F N R T M C A T T L E H E R D I N G M H B Q T
```

ADVENTUROUS	GERMANY	POLICE DOG
AGILITY	GIANT SCHNAUZER	POPULAR
BAVARIA	GREAT POWER	PROTECTIVE
BOLD	GROOMING	RAMBUNCTIOUS
BUTCHERS DOG	GUARDIAN	RIESENSCHNAUZER
CAT FEET	HEAT TOLERANT	RUGGED BUILD
CATTLE HERDING	HERDING	SECURITY
COLD TOLERANT	INTELLIGENT	VIGOROUS STRIDE
DOUBLE COAT	LIVESTOCK DOG	WATCH DOG
EASILY TRAINABLE	MUNCHENER	WEATHER RESISTANT
ENERGETIC	NEED EXERCISE	WORKING GROUP
FAMILY ORIENTED	PLAYFUL	WURRTEMBURG

GREAT DANE

```
T Z I R I S H W O L F H O U N D T N T G X L F J N L B
G S R E T N U H R A O B D L I W H A B V J G O Z N W X
O B G N D V P M R N G A P O L L O O F D O G S O X G F
D C Z L E H X H L L D H H C Z C Z Q L H T R R T R L X
K K E V E M X W W R K K M C Y E A S Y G O I N G L D L
C L G N R G O D H C T A W S T J R N G F L G V E Z K B
O Q G O B B T D Y E N S S G X H K X Z Y O M L N V Q X
T M O B L C X R N M L O G T M P T B K O P P X A J F L
S L D L A M N M W Q L B G O U R G Y D C L M G D M R M
E C E E G W R X S G P N A O D U T W N K N P M T L I J
V M H D E P Q S T R I T R N A R I R Z P M D M A W E G
I K C O R X E R O V Q G T R I T A P P D G J P E G N L
L H S G M L O T O A G S D B H A O W X N N W O R E D T
L M T B R H E L W N F I E K W P R Q N K Y M W G R L V
V V U A S C J V I V A F I N U K F T G G R B E K M Y M
F T E V T X L K P N C D E L S N S C Y D T F R K A N K
F F D I H G R M L K S M A C G I T Q O L L T F N N M P
B W V M W O Q R D T W R N R T N T P U U I M U K Y C W
C E L C W T C M N L F J W T K I O I Y A R S L T K P E
R L H G Z P T D R R Z N N L L F O I V M R A A N Z H L
K P Y D K V L K W R R T P C K Q J N N E R E G E K H T
L G N E E D E X E R C I S E F V W F A A D X J E T T N
F F I T S A M N A M R E G T R J W M X T P B W A T L E
G E R M A N B O A R H O U N D S N R Q Y E M T F W H G
G D B J C Z Q H D E R E N N A M L L E W M G O B Q K W
T N T R L D K M J D S E M I T T N E I C N A K C J X R
T D K O L D E N G L I S H M A S T I F F V N W V D M K
```

AFFECTIONATE	GERMAN BOARHOUNDS	POPULAR
ANCIENT TIMES	GERMAN MASTIFF	POWERFUL
APOLLO OF DOGS	GERMANY	PROTECTIVE
COMPANION	GOOD WITH KIDS	REGAL BREED
COURAGE	GREAT DANE	SENSITIVE
DEUTSCHE DOGGE	GUARDIAN	SHORT GLOSSY COAT
DROOL	IRISH WOLFHOUND	SQUARE JAW
EASILY TRAINABLE	LIVESTOCK DOG	WAR DOGS
EASY GOING	LOVING	WATCH DOG
FEARLESS	NEED EXERCISE	WELL MANNERED
FRIENDLY	NOBLE DOG	WILD BOAR HUNTERS
GENTLE	OLD ENGLISH MASTIFF	WORKING GROUP

GREAT PYRENEES

```
P R R Z N F N D T L R V F F I T S A M N A T E B I T V V
M R F S E E N E R Y P S E D N E I H C H B R K N Q M K V
K M L O B D K R V J X F A M I L Y O R I E N T E D N T Z
G X N G R M O Z A A R Y A N S L V M M D G W H H J E P M
T P Z O H T Z U T L V P D H B M D N T L M L V J V T N H
D U V D N C R Z B B U M V S H A R P E D E A R S R T M C
V O L N T O Z E J L B P B N Z T R M F P G F N W J E A D
H R P T N M L E S C E T O N E E D E X E R C I S E Y J S
N G Z M A P L G C S F C C P M L W B J W P Q L W M A E E
Z G Z N R A O N R N G J O X X A L N T K G M S Z X F S M
J N K A E N U G G X A U N A J J F R R Z L C E W N A T I
N I R E L I I X Y Q L R A T T Y T F W O H R R M R L I T
M K Y N O O S R Z D N N F R N L Q A E Z B R I R B L C T
G R P E T N X G Z L B D J K D N T R T C J B O B W A X N
J O N R D N I N L J E T Z C P C C S L J T Y U B T R K E
X W N Y L Z V J V T X T V D H X E E Z P A I S T L E F I
G Q H P O P G R O F Q Q J D F E V F J L I R O W S N R C
C N D N C D C V N L I K O Z N I Q F D N N R X N K E C N
F A I M N Q E F M M G G F E T T K O D M J K Y H A G Y A
F Q L M J D N R P N T L R A E N G E B W J L M L P T K L
N G S M O Z Z O F H J Y L E D F P V J H Y R L M Y R E H
X T K L R O S L F V P P F T R E H V N M M R Q K V N N V
M V R R R I R R B T M D B A N T N M M Z P D J V B W T N
F V A Y N R T G A E N M N D M B X L T Y R X N X J F H V
M K B G R D L E T U K C E K J G O D K C O T S E V I L K
W K X D Y R R N O P E N R F R S D I K H T I W D O O G K
F Z M T N G O R L R T T K N E V I T C E T O R P P N K V
G R T C W C L Q L W Y S R E D A R T N A I C I N E O H P
```

AFFECTIONATE	FORTRESS GUARD	PHOENICIAN TRADERS
ANCIENT TIMES	FRANCE	POPULAR
ARYANS	GENERAL LAFAYETTE	PROTECTIVE
BARKS	GOOD WITH KIDS	PYRENEAN MTN DOG
CALM	GREAT PYRENEES	ROUND FEET
CHIEN DES PYRENEES	GROOMING	ROYAL DOG FRANCE
COLD TOLERANT	IMPOSING	SERIOUS
COMPANION	INDEPENDENT	STUBBORN
CONTEMPLATIVE	LIVESTOCK DOG	TIBETAN MASTIFF
DEVOTED	LOUIS XIV	V SHARPED EARS
DOUBLE COAT	MAJESTIC	WATCH DOG
FAMILY ORIENTED	NEED EXERCISE	WORKING GROUP

GREATER SWISS MOUNTAIN DOG

```
D N K B T M M Y H L H W Z C X D E V O T E D P D M P X V Q
Q Y R W W Y B Z J F T F G O D H C T A W K H L N L W H Z B
G O D E L T T A C S S I W S T A E R G T K M A X R O L D Q
X C R W M Z M G O O D W I T H K I D S M M V Y V J T B N M
L G G G G B U T C H E R S D O G R Z M F F L F P K X I T N
T O Y Q N K N N T R F P D N L T C T R D W Z U M B A N P A
Z D N E E D E X E R C I S E N T E L T N E G L R T F L Y I
P N D M H V N T P R Q P R A L W P M T D S E D N E Q X T D
R A F O K W L R B K T P L D V R L Q B T D T U A M X M G R
O I L R U A M G F X R I K B V I R B R N F O S P S Z K E A
F S K G Y B R R N O G J R B V Z L O U D M Y F U S H F V U
E S T O P K L J T I E C J E T A N H D S G L B O I C A I G
S O L Y K T H E V R N L S Z C G R R S O L W J R W F M T F
S L Y M T K C W C X J T B K R E T I I B P Z N G S P I I M
O O L G D T T G D O O C A A G L W N N F K K N G R B L S D
R M P H I X K F O C A N Z Z N S G T H M M C X N E Z Y N N
A N K V L L Y R K D D T T T R I T L F L Q N C I T F O E S
H A E N C P G D J R T E N E Z X A E N G G T R K A N R S W
E M F B C O O R U Y M F T M X G F R R K D Q M R E T I V I
I O B F W G M S N W H A A Z R V Y F T R P J P O R R E K T
M R W Y E X T P B N E C V R R Z W L X Y I N M W G E N R Z
W Y D H K C F M A R L B N M D R D G H N L T R R W L T M E
L T G R O H T N G N N Q L M G H K P V P I O X H A E Y R
B W Q A M Q M I Z R I Q W T V N M J X H K C S R G R D J L
R M T Q P L X R O R J O C K K N C W V J K R N A I V R B A
N M M R Y M R R T N Q F N Z V N T W K F N T J M E A K Y N
D D Y L R L M Z N V A Z L T S N A I C I N E O H P W L R D
J L H C L R X X F Q J T Z T J C K S E M I T T N E I C N A
T R R N A N I M A T E D E X P R E S S I O N H G M V V B X
```

AFFECTIONATE	EASY GOING	PHOENICIANS
ALERT	FAMILY ORIENTED	PLAYFUL
ANCIENT TIMES	GENTLE	PROFESSOR A HEIM
ANIMATED EXPRESSION	GOOD WITH KIDS	PROTECTIVE
BLACK AND RUST COAT	GREATER SWISS	ROMAN MOLOSSIAN DOG
BOLD	GREATER SWISS MOUNTAIN	SENSITIVE
BUTCHERS DOG	GREAT SWISS CATTLE DOG	STRONG
COMPANION	GUARDIAN	SWITZERLAND
DEVOTED	LIVESTOCK DOG	TERRITORIAL
DOUBLE COAT	LOYAL	VIGILANT
DRAFT DOG	METZGERHUNDE	WATCH DOG
EASILY TRAINABLE	NEED EXERCISE	WORKING GROUP

KOMONDOR

```
W I T R H T P X W W M L N A I D R A U G L A R U T A N C
I L N B V Q E N F W Q Q B Q D H H L N G R O O M I N G R
D T M D T J W I D E M U Z Z L E I Z M N J N D Z Z N M V
E X M Y E H X R U G K L N D H V W R T B K T O L N G Q P
S Q C N N P T D K Q N P X O E F O V M T N H U T L K V G
K N J E R L E M R L S D T S W D R X K T N D B N R R T H
U N P L M U L N M A Y D T L N A N M L A C F L B Z M Q P
L P V B B R S G D G U O R O O A R E N E R G E T I C N S
L U P A M Q T S P E C G M E F N S M M W J K C R R K D Y
D O F N Z M R G I K N O K F H R G Y C P J K O M Z I R T
T R S I G L J J D A K T E C A P R S X L J V A N K W D T
E G S A Z B L O M T N C T E O A E M T K I L T T T K N Q
E G E R Q W G L R J T O G H G L Q H W R M M C P F Y E P
F N L T X P B L B I W N W N I X F X S Z I E A Q R H E X
G I R Y J N Z C O H I L U T M N R V N R T D V T N N D Q
N K A L L D K N I G L H P M C W K H D O A J E R E P E P
O R E I G F A T N B T M K L T H R E R C Q Y F S D T X V
R O F S R T E A W T X R P J A K A P R Y B Z G O N N E L
T W J A E C H R D R W R R N G Y V R R R D R M A N T R P
S K M E O G V G N M Z W R K R B F T K C Y I R H M V C S
E K F A W Z O E V I T C E T O R P U V A N E L N Q H I T
G Y T D R H R D L N M N S Y H Z K T L E L Y N L H R S U
R G Q W Z T N G H T N C D V L T F Z E O K X K D M P E B
A R J N D F W H N C L P R R R R X R T Z G Z K V N P T B
L B P H P T Z G R Y T M O N T K I D X L Q Q G Q R W T O
Z R F K M L D X N L C A C T F N L A K C A R P L R L M R
R L N K T D K P K C T K W L G O L C L F X Z T K Z J L N
W T Z L Z M U S C U L A R J C H A N C I E N T T I M E S
```

AFFECTIONATE	HANGING EARS	PLAYFUL
ANCIENT TIMES	HUNGARY	PROTECTIVE
CALM	INDEPENDENT THINKER	PROTECT KIDS
COLD TOLERANT	KOMONDOR	QUIET
CORDS	LARGE STRONG FEET	RACKA
DOMINEERING	LIVESTOCK DOG	RUSSIAN OWTCHARKA
DOUBLE COAT	LONG STRIDES	STUBBORN
EASILY TRAINABLE	MAGYAR SHEPHERDS	WATCH DOG
ENERGETIC	MUSCULAR	WHITE COAT
FEARLESS	NATURAL GUARDIAN	WIDE MUZZLE
FLOCKGUARD	NEED EXERCISE	WIDE SKULL
GROOMING	NO WARM CLIMATE	WORKING GROUP

KUVASZ

```
L B T K C A B T H G I A R T S F X X H V C D M N H
Y W V K R J J M N Q T X R L B Z T T S P Z R X T D
R B N L G Q W Z M T V L D D Q F H H D M F H N C R
L E R G N O M J G R R P E M N F A E S T M M O P A
R H Q G H U N G A R Y V L O T P E E R P F Q R D U
E N E R G E T I C N O J B A E I Y A K D G H F K G
M F G P G N R M G T Y I L D Y E B L R D E R D S K
C K Z N C O R R E N L T E Z D F P E M L L R E K C
L T S K I T D D W I I A F N L K U F T Y E G J G O
L M A K M M C K T Q R R O N I K T L T J A S K E L
N T V L O M O Y C S G M E N L E V I Y E M M S N F
E N U C N Z N O Z O L F G E E G L L L Y T C D T N
E A K K T V S S R A T M C F N I C D T N I V O L P
D R N L W R A A H G A S T T G I D J V T A R U E P
E E A V K V F Q V T C A E A V I M N Z Q G K B W U
X L I P U P T V T U C L R V M Z B O L A Y O L I O
E O R K C J L H K J K B M G I T D L D N S H E T R
R T A N E V I T C E T O R P W L C M Y Y A T C H G
C D G D L A J H Z W K F W A K K H U N T E R O K G
I L N B S G J R L W B R T T W W T N R P E F A I N
S O U I V R L R K D K C X R R K G J Q X E L T D I
E C H L B H K R Q Q H Z G X V P K M Z N R C J S K
V T N V L L U K S D E T A G N O L E V R F Y Z Z R
R Z R K T D B T O L N F X Q H L N H W N D N V W O
B H X G T O U G H P R O T E C T O R D F D D T N W
```

AGILITY	GENTLE WITH KIDS	MONGREL
ALMOND EYES	GROOMING	NEED EXERCISE
CAT FEET	HERDER	NOBILITY
COLD TOLERANT	HUNGARIAN KUVASZ	NOR
DEVOTED	HUNGARY	PLAYFUL
DOMINEERING	HUNTER	PROTECTIVE
DOUBLE COAT	KING MATTHIAS I	STRAIGHT BACK
ELONGATED SKULL	KUVASZ	TIBET
ENERGETIC	KUVASZOK	TOUGH PROTECTOR
FEARLESS	LIVESTOCK DOG	V SHAPED EARS
FLOCKGUARD	LOYAL	WATCH DOG
FREE EASY GAIT	MIDDLE AGES	WORKING GROUP

MASTIFF

```
T S R M F R T W P A F F E C T I O N A T E V W K N K N
G I W M Y R Y N H O S F F I T S A M L L A H E M Y L Z
W R K C V V I T A R W D W R K W C W L K K Q Z T G E C
K P L K M V Y E O R Z E D L Z T N A Q K Z V K E C V B
L E T X Q P N T N Q E X R K Q V D T N Q Y G N N P E P
V E Y Q F N A N Z D G L K F V X N C N M N T G F U L M
X R L K P I H T P T L V O V U N K H W Q L F L H O T J
Y S K P D V L N L J T Y P T M L J D C E H W W D R O Z
C L V A V D Z Q L T Y N R T D V N O R P L Z Y S G P N
T E L T G O O D N A T U R E D L N G R K J N R E G L E
G G N J M A S S I V E H E A D N O O J R R E W M N I A
O H N R Z N D T M Q C Y R K R J T C J L W D K I I N S
D H T T A O C E L B U O D L W E G C K O B K W T K E Y
K D E R E N N A M L L E W Y C G C R L M C K H T R R G
C W N S B T K Q R M T L N T U K T F R X B K D N O K O
O R D G G E B E L B A N I A R T Y L I S A E B E W Q I
T M B O O E B G R Z Z V R T B A D E W D T R R I B N N
S M P D O F F K R M E D R M M F L S R O D T L C B K G
E D L G D T P D M P I K K T F Z T C V E H R L N L L B
V K M N W A V N Q A R G Y I Z R L E S Y N K G A R X W
I T W I I C R G N Y H L T U O B D A M G T G D R O O L
L R K T T E W K Z Q T S M N R R L B Y N O I L D B Y Z
Q B Y N H G T K G K A T G K Y C X L L O K D N A F R L
N F Q U K R B T R M R G B B J D A M K F L R R G N M Z
D J Y H I A N Q W O A J Y H J R G L B G R T X A I D Z
Z F L C D L T X H I Y N M F H P G Y M L Z Y Q T W D Y
X Q P J S C R S T Z H Q F F I T S A M H S I L G N E T
```

AFFECTIONATE	FRIENDLY	MASSIVE HEAD
ANCIENT TIMES	GENTLE	MASTIFF
CALM	GLADIATORS	MAYFLOWER
COLD TOLERANT	GOOD NATURED	POWERFUL
DEVOTED	GOOD WITH KIDS	PROTECTIVE
DIGNITY	GUARDIAN	SHORT MUZZLE
DOUBLE COAT	HUNTING DOGS	SIR PEERS LEGH
DROOL	LARGE CAT FEET	STRONG GAIT
EASILY TRAINABLE	LEVEL TOPLINE	WAR DOGS
EASY GOING	LIVESTOCK DOG	WATCH DOG
ENGLAND	LOYAL	WELL MANNERED
ENGLISH MASTIFF	LYME HALL MASTIFFS	WORKING GROUP

NEWFOUNDLAND

```
D R O O L R Y K E S I C R E X E D E E N L G L E D T
R Z W R G L L D R A F T A N I M A L D M D O Z U E K
W N H C L M A J E N O B Y V A E H N F I M D V C T C
D M T L T M J O M T B H V L S N A L G M C K B S N P
H J T B L C L B T W Q D R E R L N N D V T C S E E J
G O D H C T A W Q D H Z Y T D K I Y P R H O W R I M
D M R E L B A I M A N E L N C F G T U R R T I R R Q
Z L J M Q W M K K Y T E U W I W N H O M F S M E O Q
P L A Y F U L P T E R O I E K A H N R V F E M T Y Q
R Z T H W H Y R S C F F D R R T G K G E H V I A L D
C M E G T T M P K W A L Z E F N R A G A X I N W I O
T G H F Q I E T E E P F L K N D D K N S N L G P M U
E V J N F E B N M R L O F S C A K L I Y G R A G A B
E W R G D O Y E O K T B R E N K F N K G N K N R F L
F Q M Y R Q R T T D Y E A A C Z R J R O I F D E G E
T Q T K W G E T L A K G C N B T M Z O I M N P A F C
A M N M C C V O L N N H O G I R I F W N O M U T R O
C H B Z T M C V I E Z M E D P A Z O H G O J L P I A
D M D I P D D R W M S N A O D L R Y N C R D L Y E T
E W V G B P D M X B T S P S R R M T J A G L I R N K
B E Q T G Y C H T L N U G C T T A J Y P T D N E D N
B D G Y S W N A E L L T V A C I G U M L K E G N L N
E T M S N F T M L A R P Y G I R F R G R I M R E Y V
W T E H W T G F R M P C F M M T D F R L T S M E X N
C M R M T R I A N G U L A R T I P E A R S D A S L C
L K R Q Y S W E E T T E M P E R A M E N T W R E T C
```

AFFECTIONATE	EFFORTLESS GAIT	NEWFOUNDLAND
AMIABLE	FAMILY ORIENTED	PLAYFUL
CALM	FRIENDLY	POPULAR
CANADA	FRIEND TO ALL	PROTECTIVE
COLD TOLERANT	GENTLE	SWEET TEMPERAMENT
DEEP SET EYES	GREAT PYRENEES	SWIMMING AND PULLING
DIGNIFIED	GROOMING	TIBETAN MASTIFF
DOUBLE COAT	GUARD DOG	TRIANGULAR TIP EARS
DRAFT ANIMAL	HEAVY BONE	WATCH DOG
DROOL	LIVESTOCK DOG	WATER RESCUE
EASILY TRAINABLE	MESSY DRINKERS	WEBBED CAT FEET
EASY GOING	NEED EXERCISE	WORKING GROUP

PORTUGUESE WATER DOG

```
P I L C R E V E I R T E R R Y K K M P T T T N V V T
C X H A D V E N T U R O U S R M C R L Y N C G V M J
E D A U S N E B O C S A V R D K M G A J M T Q G B G
P Y H E A R T S H A P E D E A R S V Y X Y D Q R V N
N C Y E A S I L Y T R A I N A B L E F K Y P P B C I
E D B X T M E U C S E R R E T A W Q U P U W P P J V
R M E N E R G E T I C T M N P B L T L O O A J L J O
D Z O K K P O K G G P X Y N H Y T G R T F O J Y R L
L L B O Z K D G O M W L H L R T A G V F Q F D N N N
I F O C R B R N D I J N W R N F G U E R I K B L K U
H A A W N S E T H D B Z E M L N P C G S K T V M E F
C M T A S H T J C D R N P E I C T O H A E W D R V L
S I T V T B A C T L V Y Y K D I F I R V E O X H H G
E L O Y E E W X A E K H R Y O E N S I T G D W G N T
V Y S O N R E J W A V O B N V G X T H O U Z O I N G
O O H R G B S R P G W V A C A H I E F T Z G M A K X
L R O C N E E E W E M T O I S S P W R R O O A L C L
K I R U I R U M V S E M D I N L A I X C O G H L K K
J E E R V S G H N I P F F E K T R G L R I H I D C V
M N C L E G U H W A T G S K E Y K Y G C P S X S L N
Q T O Y I L T C N Q N C P R Y N L G P R N T E L I K
R E U R R M R I P I X Z E Y L D N E I R F O B T Z V
F D R X T W O M D L Z Z X T Y V D Z N K M T I X V P
N P I W E N P R Q L B R Z T O Z B K L P K Y R L K Y
G W E L R P E N T W R M K W E R C R E L W A R T R M
L C R R P H T N N L Q M Q X V L P V F T M R R K M Z
```

ADVENTUROUS	FRIENDLY	PORTUGAL
AFFECTIONATE	FUN LOVING	PORTUGUESE WATER DOG
BERBERS	GROOMING	PROTECTIVE
BOAT TO SHORE COURIER	HEART SHAPED EARS	RETRIEVER CLIP
CAO DE AGUA	HERDING FISH	RETRIEVING NETS
COMPANION	LION CLIP	SENSITIVE
DOG OF WATER	LOVES CHILDREN	TRAWLER CREW
DR VASCO BENSUADE	MIDDLE AGES	VISIGOTHS
EASILY TRAINABLE	MOORS	WATCH DOG
ENERGETIC	NEED EXERCISE	WATER RESCUE
FAMILY ORIENTED	PLAYFUL	WAVY OR CURLY
FISHING AID	POODLE	WORKING GROUP

ROTTWEILER

```
G R W K G P F T W H R Y E L B A N I A R T Y L I S A E
L L M R A L U P O P S L I V E S T O C K D O G G R G N
V N M T K X R Q X H L E Y K W N A I D R A U G N T L E
N A R O T T W E I L L R L E N E R G E T I C T Y A C R
L N G K N H R B F Y T V O F D I M P O S I N G D O M D
R C M E W P V V L X F F P M A T B M L X N P V B C S L
N I M V R K T M C V V U N K A S B C P V R P N V E G I
F E B F D M K N K T O R L E K N S M L F D O N Y S O H
D N H K T D A B E R F F C D E V B U L K Z L X L N D C
V T E N R L Z N G D N A K T E D J A R M M I D J E R D
P T A Z K O K G Y C I L R V W T E L T E R C T Q D E R
H I D Y J B N N X V A F K D M T N X C H D E R L E V E
W M S M L I M M V Y C N N T T W B E E H S D K W S O H
A E T F K K P H O L T W Z O X J K S I R Z O K X R R X
T S R R G K X L R L R P D Q C T T M C R C G F N A D Y
C G O G N I R E E N I M O D C U L A Y D O I M T O N T
H W N N T C V T L N N W R Q D D T P T Z C Y S K C A Y
D B G Y D H R U V W V E D B L T R R I M F T L E F M Z
O B F L G E F F L B D N B P L O G E R T R D G I K O Y
G P N M L R Q L M T U O R E T L F L U Q N C K D M R R
L K H A E G W L I H R T D E L K R I C T C K G F K A Q
T F C W R B K L Z N H R C N N Z P E E K Y E V H N L F
N L O P F J E T K M O T W Y V N W W S H M V L C T T G
H P J D F R U V P V I D O C K E D T A I L B N B P W D
H Z G C O H T V E V T J D X L Y R T T K R G R M O C H
D P J O C R K R E C Y R P R T X N O R W M V W T T N H
W G F S C R L N V R P N T W F R B R R D K D C N M M L
```

ALERT	GERMANY	PROTECTIVE
ANCIENT TIMES	GUARDIAN	RED TILE ROOF
BOLD	HEADSTRONG	ROMAN BATHS
CATTLE DROVER	HERD CHILDREN	ROMAN DROVER DOGS
COARSE DENSE COAT	IMPOSING	ROTTWEIL
CONFIDENT	LIVESTOCK DOG	ROTTWEILER
DOCKED TAIL	LOYAL	SCHUTZHUND
DOMINEERING	NEED EXERCISE	SECURITY
DRAFT	NOBLE	SELF ASSURED
EASILY TRAINABLE	POLICE DOG	STUDBBORN
ENERGETIC	POPULAR	WATCH DOG
FAMILY ORIENTED	POWERFUL	WORKING GROUP

SAINT BERNARD

```
M F X L L U K S E V I S S A M K P T G T C W K R V X
K F P L K Y E Q N D V R F S N U N R F M M W L I N E
K I H B N C M L P D B H T Z O P C Q B B Z R N M S N
H T S Y Z F D G K K R R L R Z O M A T M L T W I L L
Z S R T N Z R J M N A O G K M L R H R N E B C D N M
S A E R L Q A X J C I G O P R R R R L R R T Q L K
T M L G P H F K L F N R A L Y V G O L G E M F N J R
B E E D O K T L L I W N W G G T B I R X K G J E T E
E N V D W L U R K G I Y T V B B G O E G M J R W N C
R I A R E P R R N O K E L L U E O D V C P Z E F R A
N P R A R M O Q N D N T L T N M E Z V L M F A O X F
H L T N F W C W T K X K S T I E J J X F D H S U S A
A A T R U D K Q M C H K Q N N K Q K K Q K H I N A G
R M S E L K M Y T O R O G M T E K M L K J K L D C N
D X O B X D E V O T E D S L N E G V C W Z J Y L R I
S M L T Z G K R Z S Q N L P E L C F F H T J T A E K
H L M N G T N N N E M R P X I R F I Q R T M R N D C
U R M I P Z V G C V N I H G T C M C P N I M A D D I
N J X A B T G T D I F G D D A R E T W S N E I V O L
D Q W S Z M R V M L G B G D P Y A D R W O F N Q G T
N B J M X G N I O G Y S A E L N L L O T R H A D C H
T E U C S E R H C R A E S V N E D Q U G Q L B T L N
N K N L R O M A N M O L O S S I A N H P S K L T R Y
D F D N U H Y R R A B N T T G Y R G V K O D E L S C
T A F F E C T I O N A T E R M L H H E L G P M H G J
S W I T Z E R L A N D R J T P N B B N S C G T K F T
```

AFFECTIONATE	GROOMING	POWERFUL
ALPINE MASTIFF	HOSPICE DOGS	PULL CARTS
BARRY	INTELLIGENT	ROMAN MOLOSSIAN
BARRYHUND	LICKING A FACE	SACRED DOG
COMPANION	LIVESTOCK DOG	SAINT BERNARD
DEVOTED	LOST TRAVELERS	SEARCH RESCUE
DRAFT	MASSIVE SKULL	ST BERNHARDSHUND
DROOL	MIDDLE AGES	ST B HOSPICE
EASILY TRAINABLE	NEED EXERCISE	STUBBORN
EASY GOING	NEWFOUNDLAND	SWITZERLAND
FRIENDLY	PATIENT	WORKING GROUP
GENTLE	POPULAR	WRINKLE

SAMOYED

```
T N N T W M N Y T G K M H E R D C H I L D R E N K H H P
K H J L Y M T R W Y N E R D L I H C G N I M R A W B O J
Q T M X W K E L P O E P D E Y O M A S C I D A M O N J T
T W C A I R D N A X E L A N E E U Q C T G R K A R G Y F
N Q Y Z R Y D E N E R G E T I C F V D P A R F E V L Y M
T E K H E R D N G T R I A L S N G B U M X F I Q D N T F
T V E W D Y T R F H B B N W F N T O I T E N L N R L Q A
H B V D Q K B D A W G F H P I K R A M C D W E R C G J M
T Y C D E M G M W F K I H L F G B L T E V I L Q Z R M I
P N T O N X P Y L V T W L B G L T·I E F R M P Z M A C L
N M A H M L E J N E N U J N E E O R K F Y B W H M N K Y
B W K R L P L R C G P J I W E N H T T K N Q H Z K D J O
N P S K E N A O C D B K W F A E J K L A I S S U R D N R
J S W U X L A N E I R R E T R M Z T N L X F K K M U Q I
Y B E I O T O L I O S R E D G E N T L E C Q M D M K X E
P H D M L V S T W O A E I L J D M K H G T T N R G E G N
L P N Q I L E W D H N N G N K S R V F T T O L D U N A T
A N G M M T I I G L G Y C R F P L T M V R T F E A I Y E
Y P Z C G Y T N H F O W Z O L I L R M T N K M Y R C A D
F G F N Q L O N G C F C T B Y T W K H E N D L O D H K V
U N N T K L K C E T S F J B G Z R E D L J M N M I O S V
L I F Z M L T K R I O I G U L M R N M C G M N A A L D P
N M M R R E V E L C C P M T N N E Q M V H K X S N A E B
B O G O D H C T A W L N L S Y P N H V N B M T K N S Y H
K O X P K Z K K M G W G A E E K Q P L L J M K K P X O N
R R F J T W R R M T H H M D A Z X J V B Q M M T M M M L
Y G W L D T W K G T R R N R C S R L D F T G L J L C A N
X K L C J Y R L K D W I B D L T E J N K H F T M C D S D
```

AFFECTIONATE	GROOMING	QUEEN ALEXANDRIA
AMIABLE	GUARDIAN	REINDEER HERDING
ANCIENT TIMES	HERD CHILDREN	RUSSIA
CLEVER	HERDNG TRIALS	SAMOYED
COLD TOLERANT	INDEPENDENT	SAMOYEDSKAYA
COMPANION	JOB WARMING CHILDREN	SLED PULLING
DRAFT	LONG HARE FEET	SPITZ
ENERGETIC	MISCHIEVOUS	STUBBORN
FAMILY ORIENTED	NEED EXERCISE	WATCH DOG
FRIENDLY	NOMADIC SAMOYED PEOPLE	WHITE COAT
GENTLE	NORTHERN	WILLING TO PLEASE
GRAND DUKE NICHOLAS	PLAYFUL	WORKING GROUP

SIBERIAN HUSKY

```
E G A T I R E H N R E H T R O N P Z N M R N Q T N C
Y P X Q Y S L E D R A C I N G G U L P J Y J L A Z H
K N K A D V E N T U R O U S N X O B R B N L K O S U
M M R M T M A N Z H K P K I T N R R Z F T V X C E K
N Q C E Q N H L X H M M L R O Q G K K W C G V E M C
U N H L T M E Q E R B L J I L H G R L X P G G L I H
R H A Q D A X E K R U T N F L D N H Z V L M Y B T I
O T L I N Z N L D P T A K E M Q I N G T C Z G U T P
T G L N X W Y I D E P M N K M R K T R O L R C O N E
S N A D M H L E T M X D V L B H R F W S D L V D E O
E I L E P X L A O S U E G D H B O V P N E H Y Y I P
V M A P V S M C I R B A R K I Y W I D V T K C N C L
O O S E T W W E A S F O L C R G T P E P S S N T N E
L O K N Y P K N U F S R C V I Z H R B U L O Z N A T
B R A D T B C A E C G U M L P S S O H C R M Y K J W
H G R E C E P C R N S M R O N T E N W B L E K L N D
W D A N R B T W I C T E P L U B A H X L L C H K L Q
P J C T Y I P V T T T U R B M I K K D U F H G V T L
R K E K O B O L T H L I B H R R K M F C P A L R D Z
M W F N P L L D L A C O C E C H F R H P L S X Y H P
N C A K N G B L R L R F B H J R E N E R G E T I C L
P T Y U X N Y X Q N P I K H U W A T Z M K C L Q G A
E G F T Z T F Q T T S C R K O S Z E Z N F A L C H Y
X Y N Y L D N E I R F C H P F M K P S T Z T R C Y F
N F M U R E S G N I V A S E F I L Y M K T S K P B U
L S O C I A L D O G L V V R S U O V E I H C I M R L
```

ADVENTUROUS	ENERGETIC	POPULAR
AFFECTIONATE	FRIENDLY	POWERFUL
ALERT	FUN LOVING	RUSSIA
ALL ALASKA RACE	GROOMING	SEARCH RESCUE
ANCIENT TIMES	INDEPENDENT	SIBERIAN HUSKY
ARCTIC HUSKY	LIFE SAVING SERUM	SLED PULLING
CHUKCHI PEOPLE	LOVES TO RUN	SLED RACING
CLEVER STUBBORN	MICHIEVOUS	SOCIAL DOG
COMPANION	NEED EXERCISE	SOME CHASE CATS
DIG HOWL	NORTHERN HERITAGE	SPITZ
DOUBLE COAT	OBSTINATE	WATCH DOG
ENDURANCE	PLAYFUL	WORKING GROUP

STANDARD SCHNAUZER

```
L T Z K L R J F T F M W H I S K E R S E Y E B R O W S L
R M Z N R N R Y B V F X N D E V O T E D Z C Q N T H C J
D H H E A T T O L E R A N T T D M R G R J B P O M J Z Z
K U M F S D B D J T G R K A L E R T F V G Q U I N C Y P
P N F L U R N O B F H H P E F F T R C T P V O T N K L W
L T T P O K K W L X L N N Z H D M Q B R L P R R Z H I I
P I K X V T F T N D E N X M E C M F E L T R G O B T V R
L N R G E B X X A L A N D T N M A Z Q T L D G P C H E E
A G G L I X W X I O D N N V D P U T T K I K N O B M S H
Y C N R H C Y G F W C E D Z V A F N S S R N I R L R T A
F O I Y C E A R A I I H K L N M A N P U T C K P N M O I
U M M R S Z L T E R N Q S H I R W A Y K M W R E B N C R
L P O F I G C B O Z C T C R E V T C Q T N B O R J N K E
C A O J M H R Y A O U S E L A C E J Q D T G W A G B G D
T N R T D K L E M N D A O L H H Y L L V E J M U T B U P
Z I G O T I G P A R I T N C L N Y G Y R H Q V Q X P A I
J O G M M M A N A T D A A H P I K N M T K G C S W Z R N
R N J A R N X D E L W R R R C B G A M T R J P T N F D S
G V F N I L N J O E R I E T W S N E V I T C E T O R P C
N W Y O R A W C T I D I T C Y Y L M N D J C F G Q W B H
L N N X T W P N E M R E C H R L B E F T J V U N F K V E
T Z Q S T K P R R R K F X N K H I X T N M P N I G T Q R
K M Q V Z C X Z E N E R G E T I C S C T P M L T H N X S
W B Y W K X Z T F W V V R T R P D L A W I R O T G M W R
H T N N V X R V W T Q Z Q L Z C L S H E B M V A Q Y L V
Q P N A I D R A U G T N R R M B I T Y P T Y I R L T J Y
W S E G A E L D D I M M T M Q X V S R D Z K N J X M H V
K M P T C L Q G O D E C I L O P P H E Y J C G H H N R H
```

AGILE
ALERT
BOLD AND LIVELY
COLD TOLERANT
COMPANION
DEVOTED
DISPATCH CARRIER
EASILY TRAINABLE
ENERGETIC
FAMILY ORIENTED
FUN LOVING
GERMANY

GREAT WITH KIDS
GROOMING
GUARDIAN
HARSH COAT
HEAT TOLERANT
HUNTING COMPANION
INTELLIGENT
LIVESTOCK GUARD
MIDDLE AGES
MISCHIEVOUS
MITTELSCHNAUZER
MUSTACHE

NEED EXERCISE
PLAYFUL
POLICE DOG
PROTECTIVE
RATTING
SQUARE PROPORTION
STANDARD SCHNAUZER
TERRIER
WATCH DOG
WHISKERS EYEBROWS
WIREHAIRED PINSCHERS
WORKING GROUP

Solutions
(If you must look!)

The
Herding
Group

AUSTRALIAN CATTLE DOG

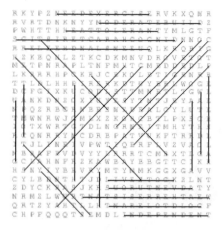

AUSTRALIAN SHEPHERD

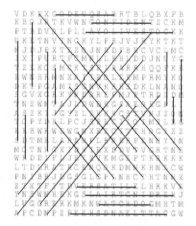

BEARDED COLLIE

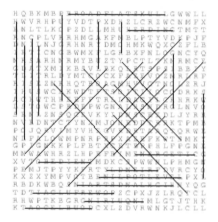

BELGIAN MALINOIS

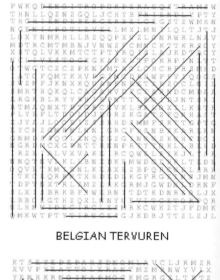

BELGIAN SHEEPDOG

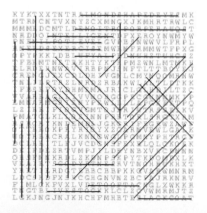

BELGIAN TERVUREN

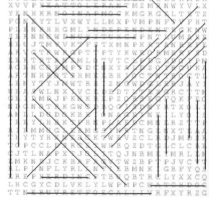

BORDER COLLIE

BOUVIER DES FLANDRES

BRIARD

CANAAN DOG

CARDIGAN WELSH CORGI

COLLIE

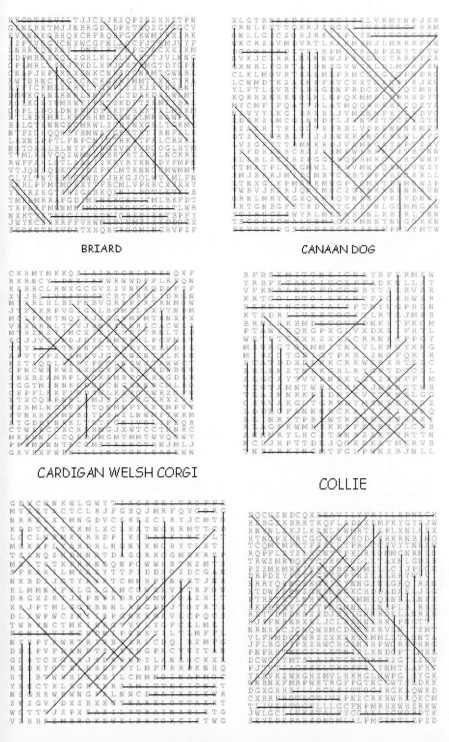

GERMAN SHEPHERD DOG

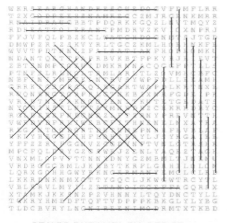

OLD ENGLISH SHEEPDOG

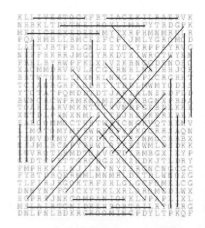

PEMBROKE WELSH CORGI

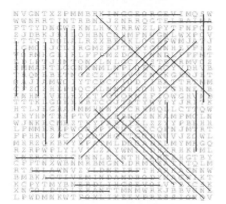

PULI

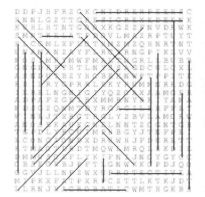

SHETLAND SHEEPDOG

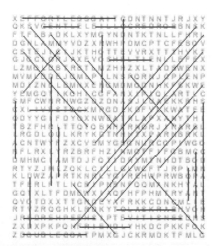

The
Hound
Group

AFGHAN HOUND

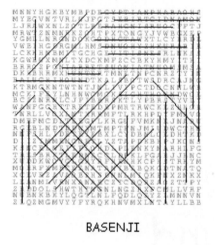

AMERICAN FOXHOUND

BASENJI

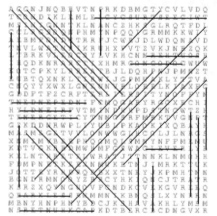

BASSET HOUND

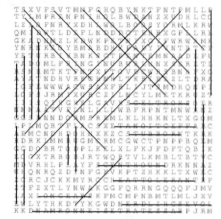

BEAGLE

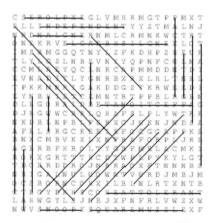

BLACK AND TAN COONHOUND

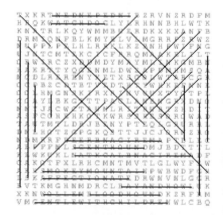

BLOODHOUND

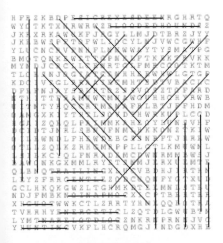

BORZOI

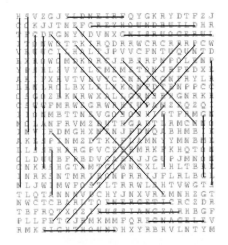

DACHSHUND

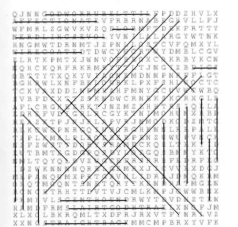

ENGLISH FOXHOUND

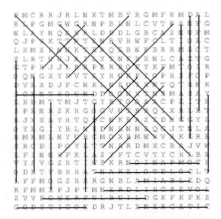

GREYHOUND

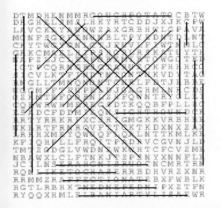

HARRIER

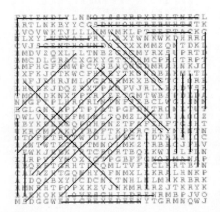

IBIZAN HOUND

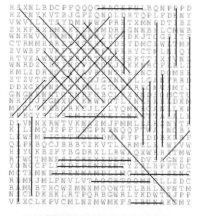

IRISH WOLFHOUND

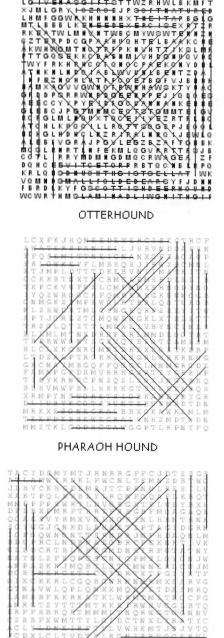

NORWEGIAN ELKHOUND

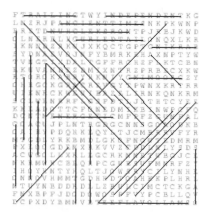

OTTERHOUND

PETIT BASSET GRIFFON VENDEEN

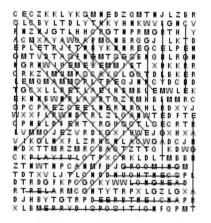

PHARAOH HOUND

RHODESIAN RIDGEBACK

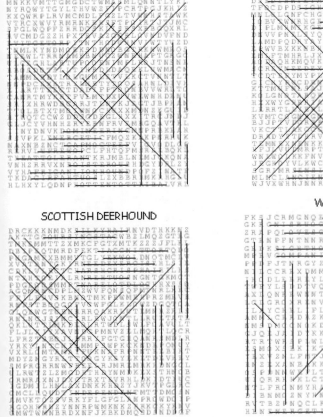

SALUKI

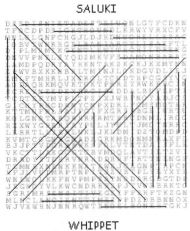

SCOTTISH DEERHOUND

WHIPPET

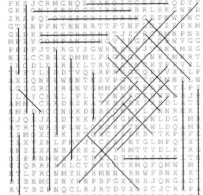

The
Non-Sporting
Group

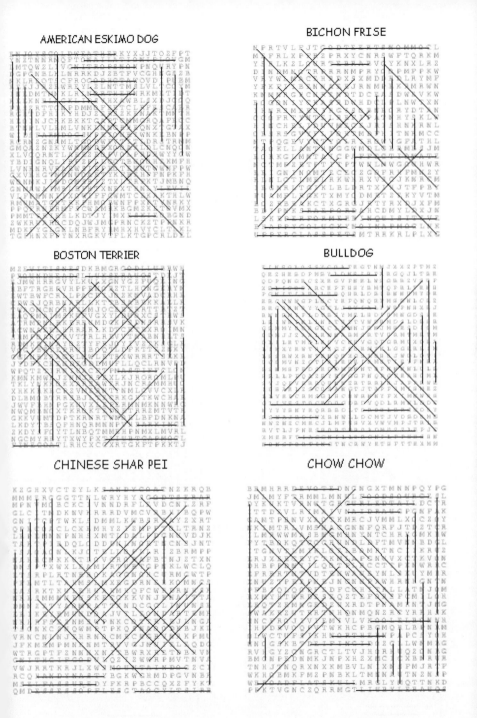

AMERICAN ESKIMO DOG

BICHON FRISE

BOSTON TERRIER

BULLDOG

CHINESE SHAR PEI

CHOW CHOW

DALMATION

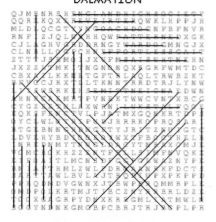

FINNISH SPITZ

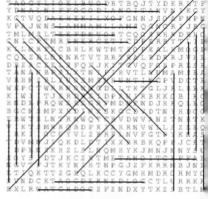

FRENCH BULLDOG

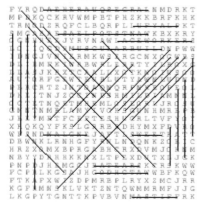

KEESHOND

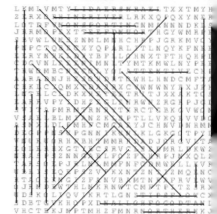

LHASA APSO

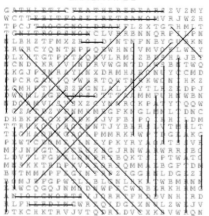

LOWCHEN

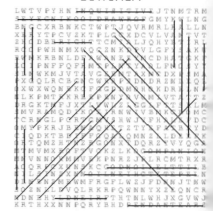

POODLE

SCHIPPERKE

SHIBA INU

TIBETAN SPANIEL

TIBETAN TERRIER

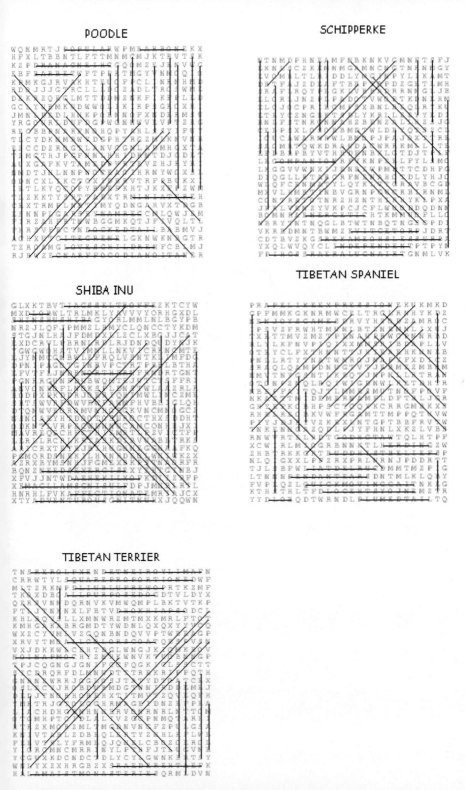

The
Sporting
Group

AMERICAN COCKER SPANIEL

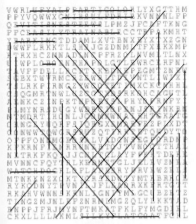

AMERICAN WATER SPANIEL

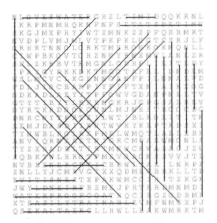

BRITTANY

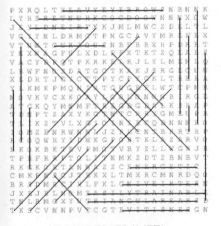

CHESAPEAKE BAY RETRIEVER

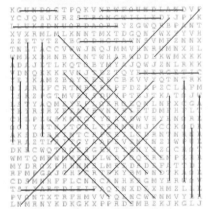

CLUMBER SPANIEL

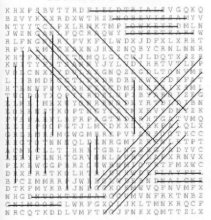

CURLY COATED RETRIEVER

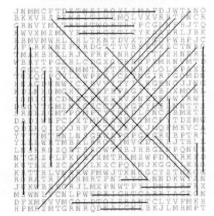

ENGLISH COCKER SPANIEL

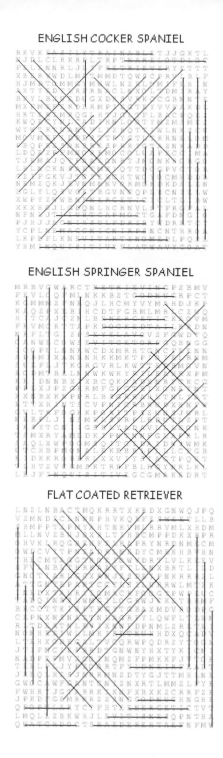

ENGLISH SPRINGER SPANIEL

FLAT COATED RETRIEVER

ENGLISH SETTER

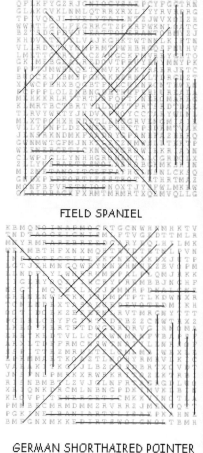

FIELD SPANIEL

GERMAN SHORTHAIRED POINTER

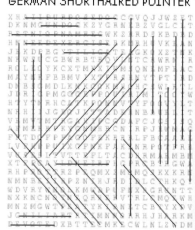

GERMAN WIREHAIRED POINTER

GOLDEN RETRIEVER

GORDON SETTER

IRISH SETTER

IRISH WATER SPANIEL

LABRADOR RETRIEVER

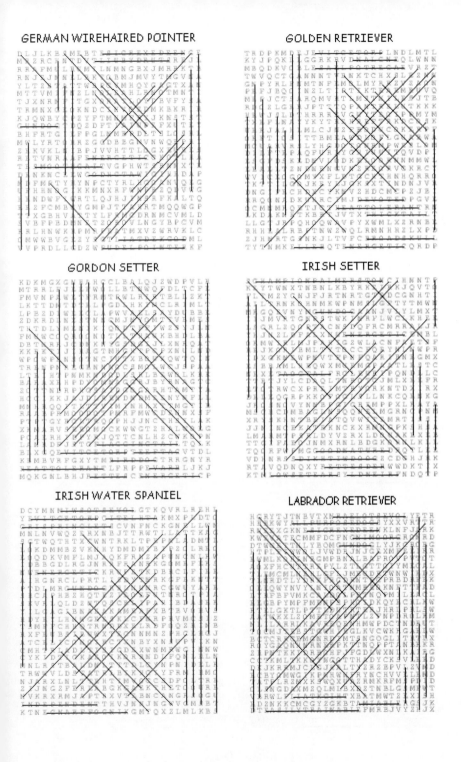

POINTER

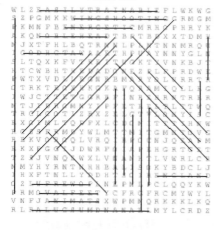

SPINONE ITALIANO

SUSSEX SPANIEL

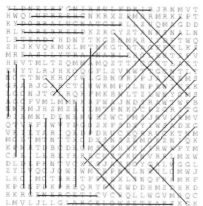

VIZSLA

WEIMARANER

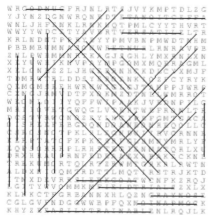

WELSH SPRINGER SPANIEL

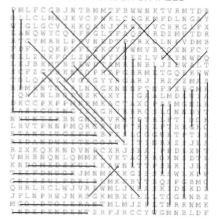

WIREHAIRED POINTING GRIFFON

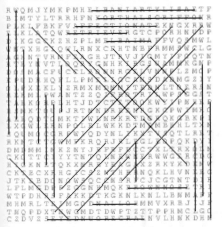

The
Terrier
Group

AIREDALE TERRIER

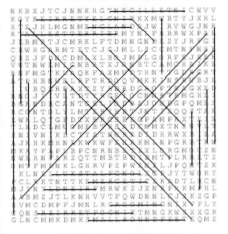

AMERICAN STAFFORDSHIRE TERRIER

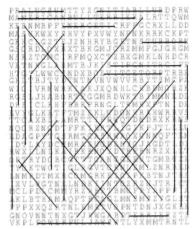

AUSTRALIAN TERRIER

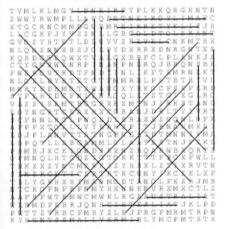

BEDLINGTON TERRIER

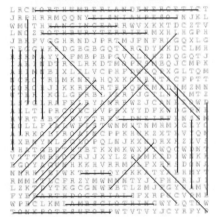

BORDER TERRIER

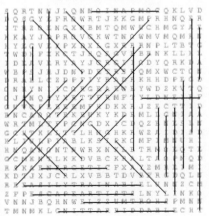

BULL TERRIER

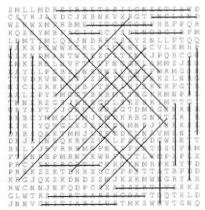

CAIRN TERRIER

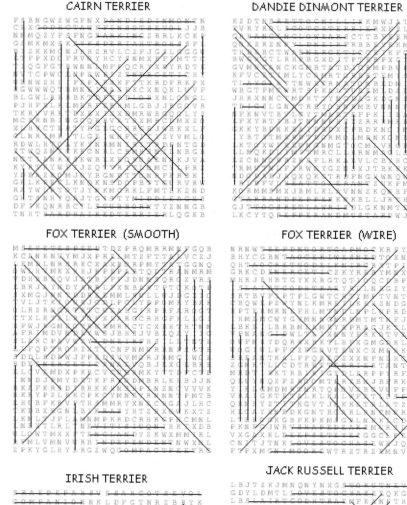

DANDIE DINMONT TERRIER

FOX TERRIER (SMOOTH)

FOX TERRIER (WIRE)

IRISH TERRIER

JACK RUSSELL TERRIER

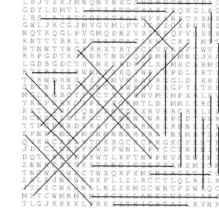

KERRY BLUE TERRIER

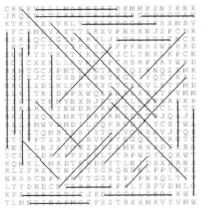

LAKELAND TERRIER

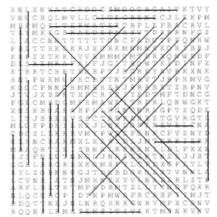

MANCHESTER TERRIER

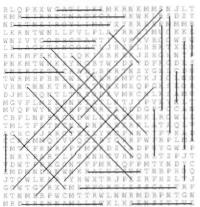

MINIATURE BULL TERRIER

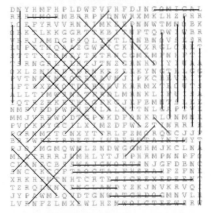

MINIATURE SCHNAUZER

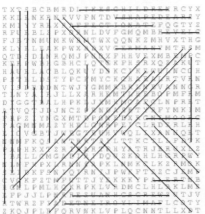

NORFOLK TERRIER

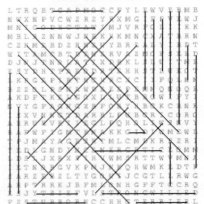

NORWICH TERRIER

SCOTTISH TERRIER

SEALYHAM TERRIER

SKYE TERRIER

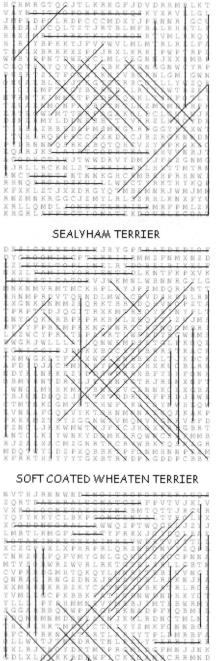

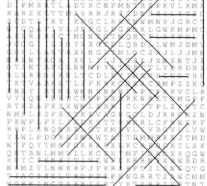

SOFT COATED WHEATEN TERRIER

STAFFORDSHIRE BULL TERRIER

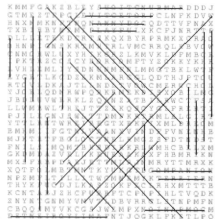

WELSH TERRIER

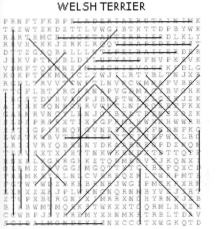

WEST HIGHLAND WHITE TERRIER

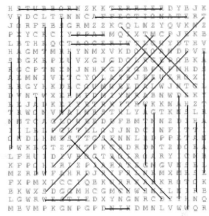

The
Toy
Group

AFFENPINSCHER

BRUSSELS GRIFFON

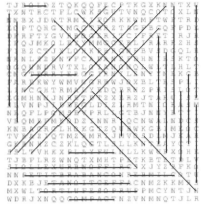

CAVALIER KING CHARLES SPANIEL

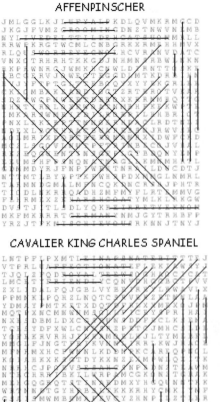

CHIHUAHUA

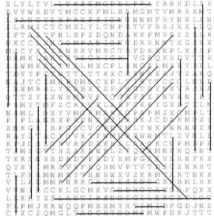

CHINESE CRESTED DOG

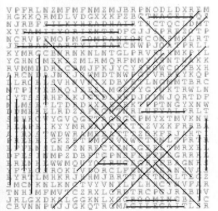

ENGLISH TOY SPANIEL

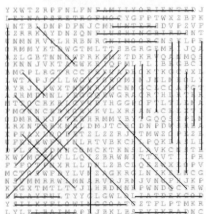

HAVANESE

ITALIAN GREYHOUND

JAPANESE CHIN

MALTESE

MINIATURE PINSCHER

PAPILLON

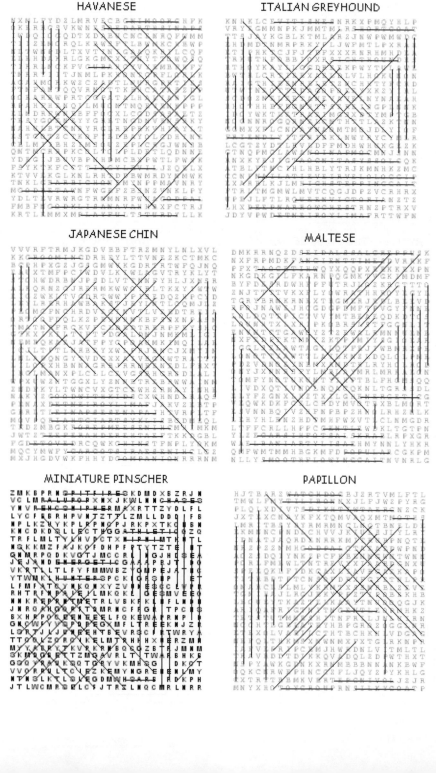

PEKINGESE

POMERANIAN

PUG

SHIH TZU

SILKY TERRIER

TOY MANCHESTER TERRIER

TOY POODLE

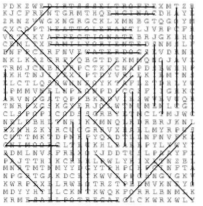

YORKSHIRE TERRIER

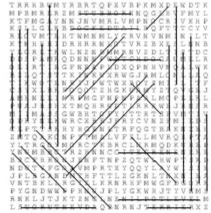

The
Working
Group

AKITA

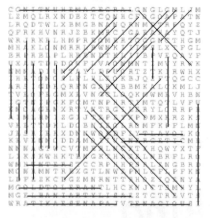

ALASKAN MALAMUTE

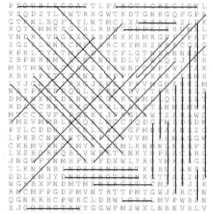

ANATOLIAN SHEPHERD

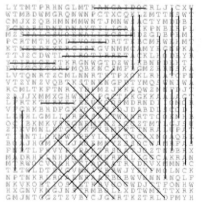

BERNESE WORKING DOG

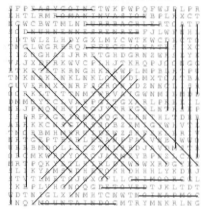

BOXER

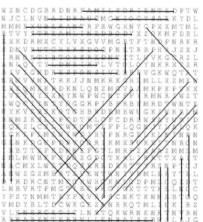

BULLMASTIFF

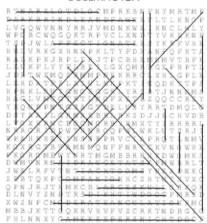

DOBERMAN PINSCHER

GIANT SCHNAUZER

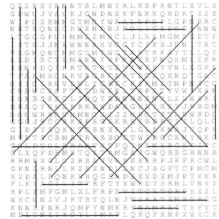

GREAT DANE

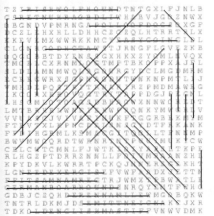

GREAT PYRENEES

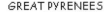
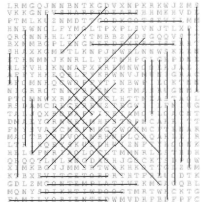

GREATER SWISS MOUNTAIN DOG

KOMONDOR

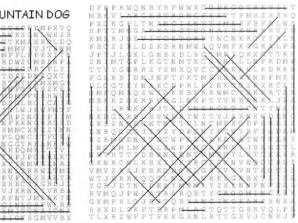

KUVASZ

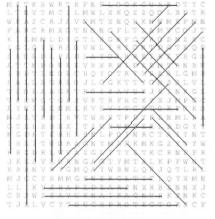

MASTIFF

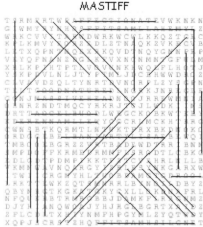

NEWFOUNDLAND

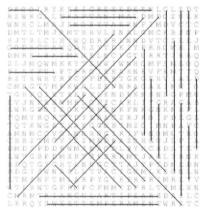

PORTUGUESE WATER DOG

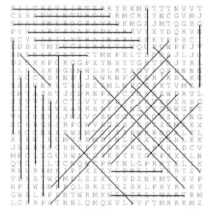

ROTTWEILER

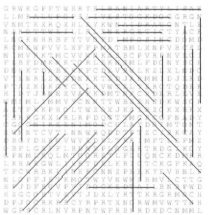

SAINT BERNARD

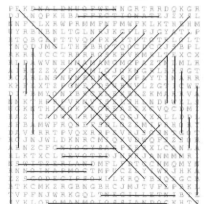

SAMOYED

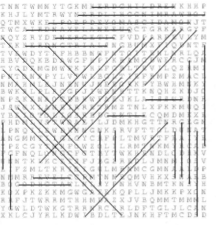

SIBERIAN HUSKY

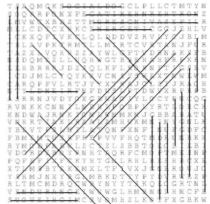

STANDARD SCHNAUZER

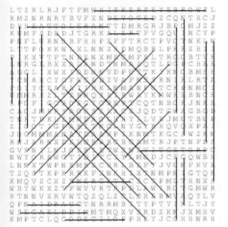

Dog Lover WordSearches

Mail Order Form

Prices: $14 (includes shipping/handling) for one book.
$25 for two books.

I would like to order _____ books.

Please mail my book to:

Name: _____

Street Address: _____

_____

City: _____State:_____

Zip Code:_____Phone Number(   )_____

Email Address:(if you want confirmation)_____

Make your check or money order out to:
Bow Wow Publications
507 Lake Region Circle
Wetumpka, Alabama 36092

If you have any questions you may write to the above address or
email to: bowwowpublications@hotmail.com .

Dog Lover WordSearches

Mail Order Form

Prices: $14 (includes shipping/handling) for one book.
$25 for two books.

I would like to order _____ books.

Please mail my book to:

Name: _____

Street Address: _____

_____

City: _____State:_____

Zip Code:_____Phone Number(   )_____

Email Address:(if you want confirmation)_____

Make your check or money order out to:
Bow Wow Publications
507 Lake Region Circle
Wetumpka, Alabama 36092

If you have any questions you may write to the above address or
email to: bowwowpublications@hotmail.com .